고수

고수
8
문정후·류기운

차례

88화 5
89화 29
90화 53
91화 77
92화 101
93화 125
94화 169
95화 193
96화 215
97화 237
98화 259
99화 279
100화 301
101화 319

88화

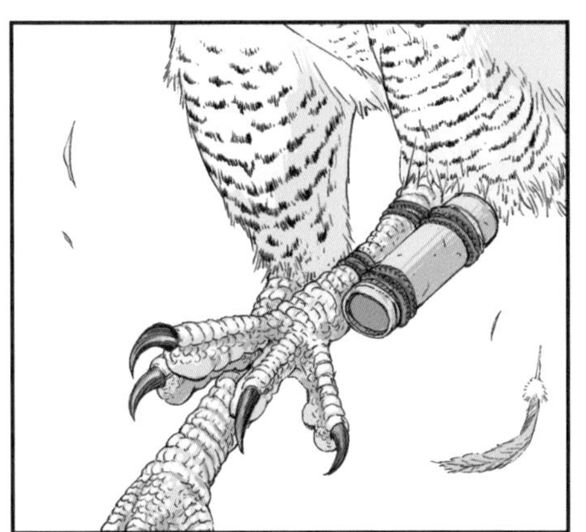

…….

명하신 대로…,

놈들의
가시거리로부터
멀리 떨어진 곳에
요원들을 대기시켜두고
각 분파의 수장들만
집결했습니다.
수고들 했다.

한데…,

저쪽의 상황은
어떻게 돌아가고
있는지….
답답하구먼….

응?
!

오오!
'검귀' 놈으로부터
연락이 온 건가!
성공했나 보군.
성공했을 경우에만
연락 매를 날리기로
했으니.
싸가지는 없어도
솜씨 하난 믿을 만한
놈이라니까.

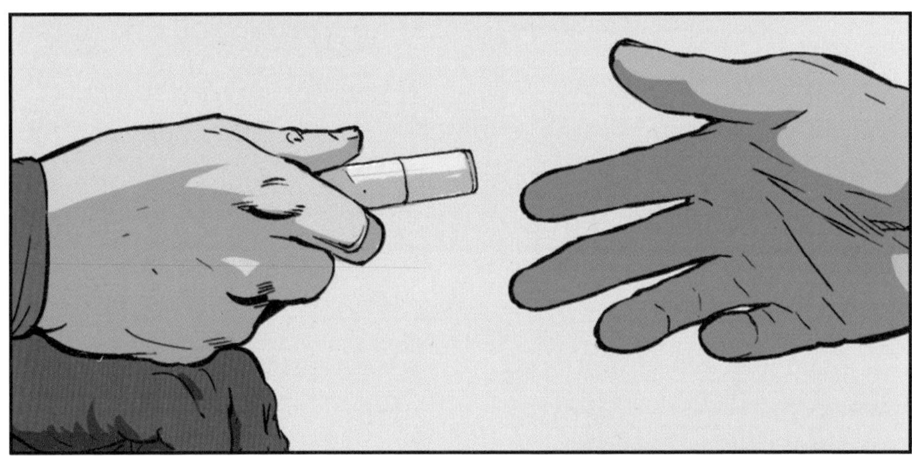

쿠웅..

음?!

…….

쿠콩..

뭐…,
뭐야, 저게?!
폭발?!
…….

파악

이, 이런…!
아무런 지시도 없이 혼자만 가시면 우린 어떻게 해야 되는 거야?!

상황을 알 수 없으니 아직 요원들 전체를 움직일 순 없어!
일단 우리들만이라도 따라간다!
…….

호우우

펄럭..

츠츠츠츠츠...

후욱..

음?!
사, 사라졌….

콰 콱...

샤

파앙

훙

…….
놈은…?

짝
짝
짝

과연…
대단하시구먼.
짝
짝

천 쪼가리가
예리한 단검이었다면
휘장은….
훅..
짜우..

콰
콰
콰..

휘유~.
성미 한번
급하군.
콰
콱..

쉬익..

콰앗..
웃!

....

확..

콰윽..

카앙

파앙..

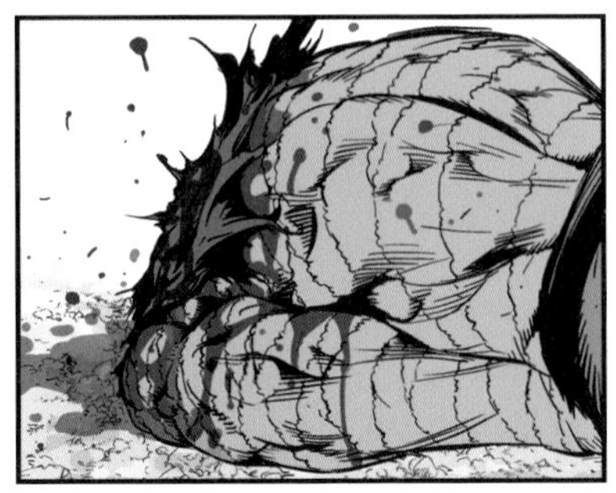

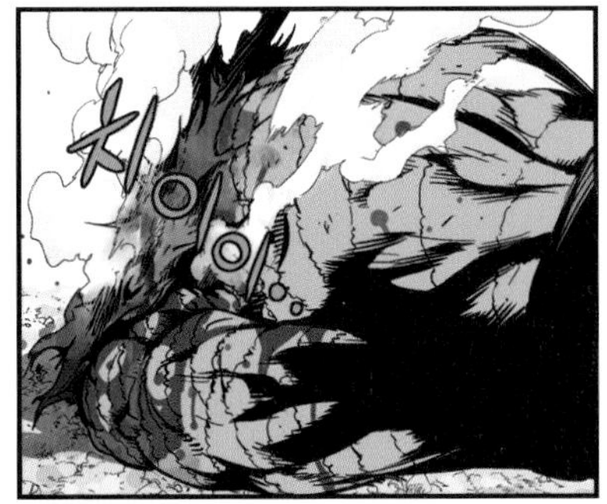
치이이…

!

콰앙

……

쿠구구...

휘우우..

펄럭...

스스스..

호오….
이거 점점….
죽이기보다
내 아이들의 숙주로
삼고 싶어지는걸?
직접 상대해주고 싶지만
그럴 기회나 있을지….
쿡
쿡

할 수 있다면
이놈들을 모두
처리하고 따라와
보시게.
아주 좋은 선물이
기다리고 있을 테니.
크하하하..

……!

슥 으…

버러지들이…!
까득..

이놈들은
내가 맡지.

빨리 놈을
따라가!
클럭..
우복
오라버니?!

뭐야,
그 표정은.
이 귀혼수가
이만한 일로
죽기라도 할 줄
알았어?

…….

그럼…!

피

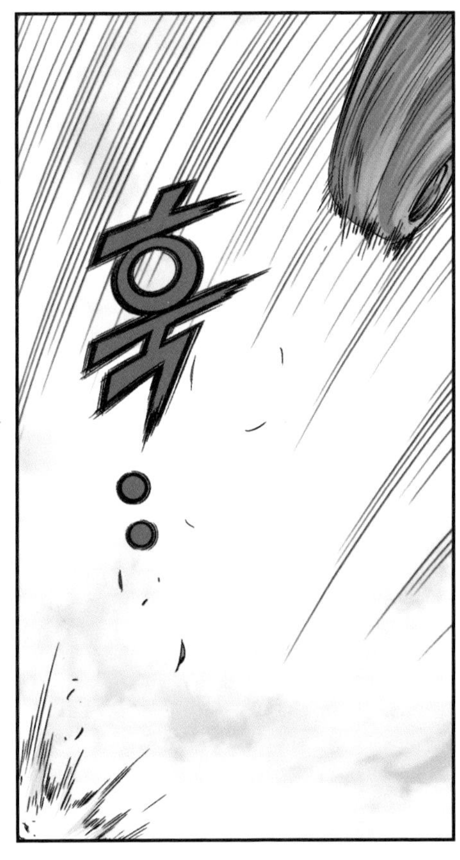
휙..

슈
슝
슝

휘리리락..

크이읍..

쭈극

두둑..
투둑..
으윽..
나의 업이로다.
크으..
헉..
헉..

어쩌자고 이토록
속세에 미련이 많은 놈에게
흡성대법을 전수했던고….

내 두 개의 '천추혈'과
두 개의 '지실혈'을 막아
네놈의 의지를 도울 것인즉,
귀혼살법으로 인한
살겁을 감수해야만 할
상황이 아니면
결코 이 '봉인침'을
제거해선 안 될 것이다!
슈아아아...
뿌득
뿌득
후오오오...
뿌득...
뿌드득...

89화

기다려!

네놈들 상대는
이쪽이다!

콰

쿠웅..!!

콰르륵..

크크큭..
끄윽..

……

……
……

…왜
'폭발'하지 않는지
궁금할 테지?
킥..

쉬악..

고(蠱)의 독성을 넘어 그런 사고를 할 정도의 내공은 없는 놈들인가.
쳇...

쿠웃...

카칵..

우득..

뿌북..
끄극..

슈웅..

각..

슈아아...

슈아아아..
끄그극..

뿌드드..

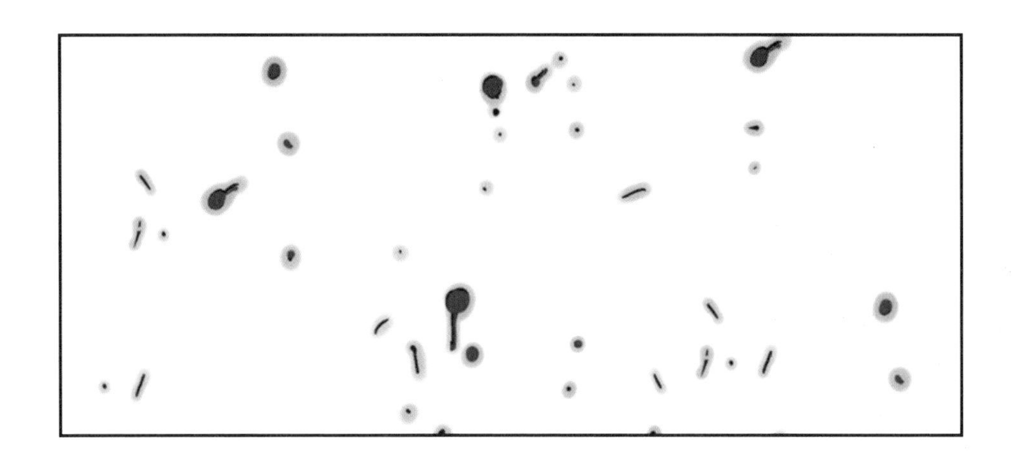

키·이이이..

우드득..
키이..
우득..

퍼억…

흐으으읍…

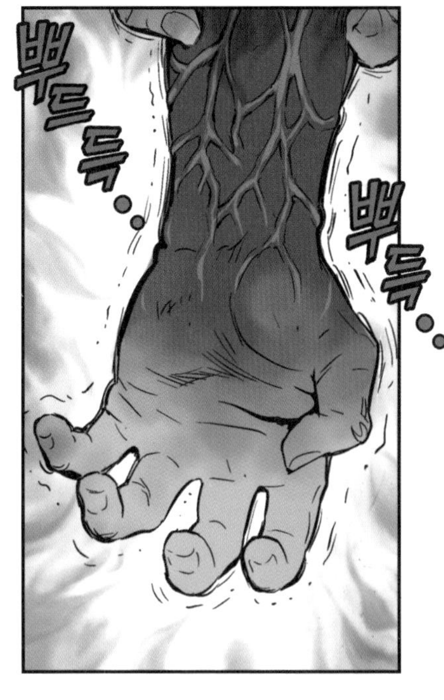
뿌드득…
뿌득…

!
뿌득
뿌득

후오오

꿈틀
꿈틀

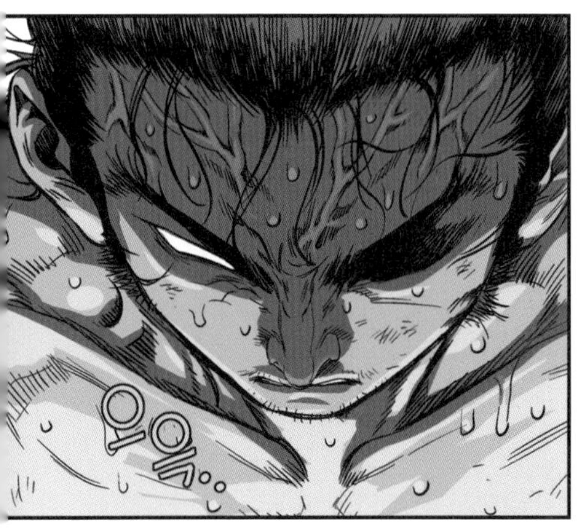

으윽…

…….

…….
역…시
통제하는 것까진
무리인가?
지글…

오로지 시술자의
명령만 따르는
충성스러운
기생충이라….
빌어먹을
벌레 놈들!
크윽…

콰콰쾅..

......!

사삭

!

놓칠 것
같아?!

콰앙..

콰르릉...

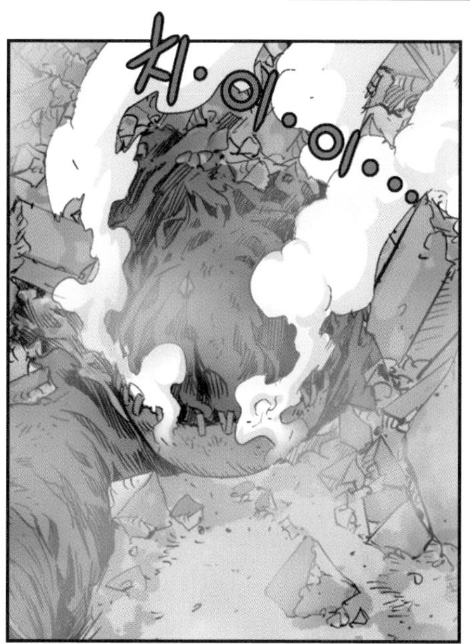
치·이·이·이...

!

확
윽!

콰앙...

당 장로님!
......

괜찮으십니까?
이놈들 도대체 무슨, 비열한 수법을…!
쿨럭! 쿨럭!

검귀 놈의 편지에 적힌 대로라면,
고(蠱)라는 독충이다!
?!
옛?!
크음..

나는 곡주님을 찾아보겠다!
돌아가서 대기 중인 요원들을 모두 불러와!

빨리 곡주님께
알리지 않으면….
…….

!

음?!
척
스윽..

뭐야,
이 거지 같은
놈들은?

찌

쿠..우..

이거
이렇게 빨리
따라올 줄은
몰랐는데.
무슨 속임수라도
쓴 건가?
흐음..

능구렁이쯤은
될 줄 알았더니.
달아나는
재주만 보면
쥐새끼로군.
흥..
후웅..
쭉

…뭐 어쨌든
여기까지
따라왔으니,
약속대로
'선물'을 주겠다.
따악..

콰아아

쩌어..

큿…!
콰콰콱..

!
찌릿
찌릿

……
어….

어머니…?

이번 상대마저
죽일 수 있다면,
그땐
이 막사평이
상대해주지!

90화

참고로 그분에게도 '고독'을 시술해 드렸다네.
쿡 쿡 쿡

지금은 다른 실험체들과 마찬가지로 오직 내 의지에 따라 살고 죽는 꼭두각시가 되어 있지.

큭큭큭..
이…,
비열한…!

후웅..
!

쩌엉…

쿠쿠쿠..

휘유….

쉬약..

빠악

큿!
키잉..

쾅..

오랜만이구나,
가령아….
반년 만이던가?

어…머니?
의식이
있어?

그렇다면
'고독'이란 독에
감염된 게
아닐 수도…?!
저를…
알아보시는
거예요?

해괴한 소릴
하는구나.
내가 내 딸을
못 알아보기라도
할 줄 알았니?

…….
그…럼…,

비켜주세요.
저자와는 해결하지
않으면 안 될
일이 있어요!
설명은
나중에 드리겠어요!
그러니 지금은…!
…….

그래….
사랑하는 딸의
부탁이니 그 정도는
들어주고 싶지만….

투
두
둑

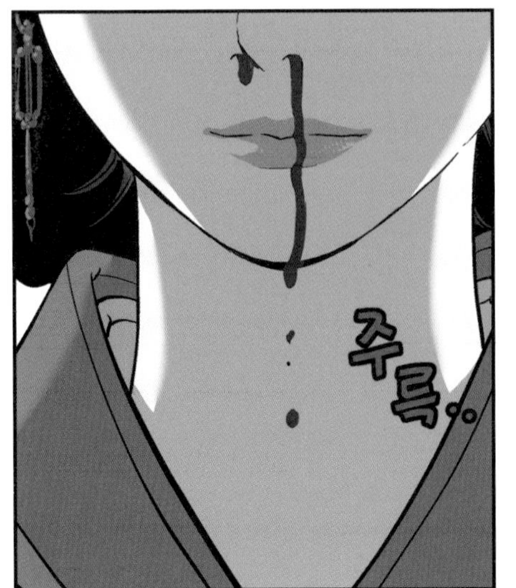
주륵..

어, 이것…
설명이 좀 부족했나 보군.

그대의 모친과 같이 내공이 출중한 이들은 '고독'에 중독된다 해도 의식을 완전히 잃지는 않는다네.
하나, 그렇다 해서 내 통제를 벗어날 수 있는 건 아니지.

자신의 의지로
'명령'을 거스르려 하는 순간,
'고'는 숙주의 생명이
다한 것으로 판단….
뭐, 그 결과가
어떨지에 대해서는
굳이 지금 다시
설명할 필요 없을 터.
꾸국..
치이..

치이..이!..
어머니!

턱..

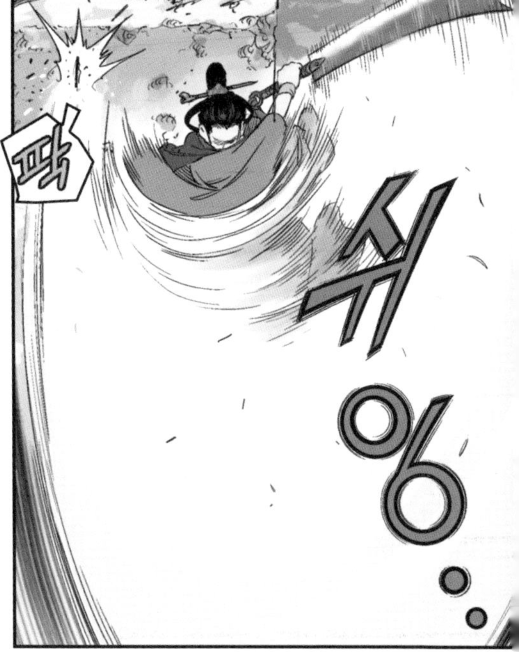
팍
쉬잉..

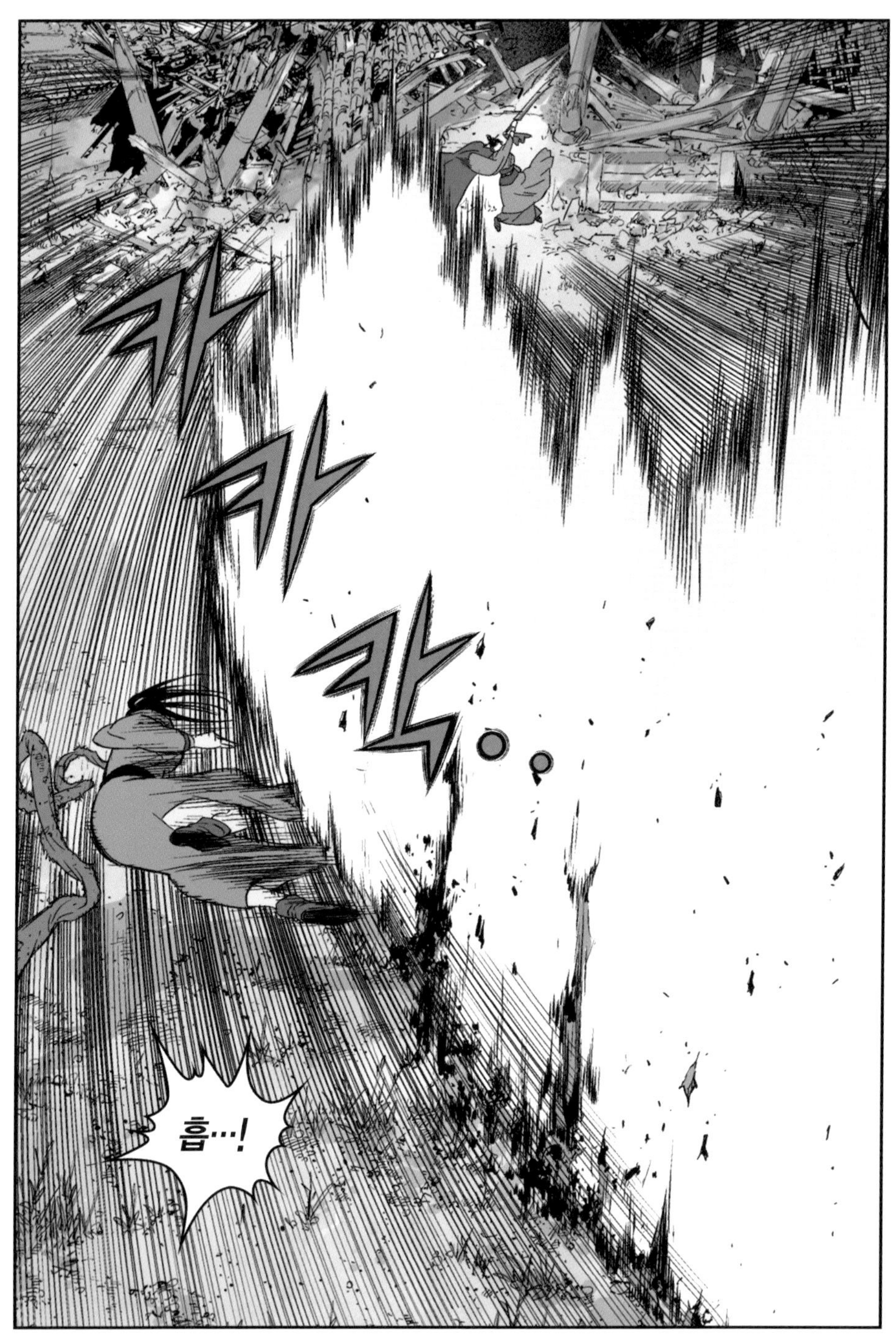
카
카
칸..
흡…!

!

즈으읏

고(蠱)란 놈과 함께
폭사하지 않으려면,
눈앞의 '적'을
섬멸하라는
나의 명령에
복종하는 수밖에!
크크크크...

쓰읍..

모든 것은…,

다시 젊은 날의 기력을
회복하고 싶었던
내 어리석은 탐욕이
부른 결과.

후
우
우
…그러니 나를
엄마라 생각하지 마라.
지금의 나는 네 목숨을
노리는 '적'일 뿐이다!

…….

빠아...

콰당탕

젠장.
투둑..
스윽

질리게 만드는군.
도대체 어떻게 해야
이놈들을….
카가각..
카앙..

챙..
카각..
큐웅..
슈칵..

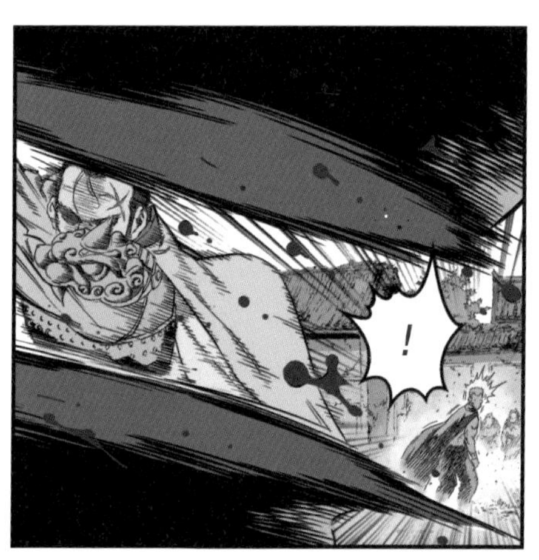
!

죽이면 안 돼!

빨리 그놈 주변에서
떨어져―!

치이이

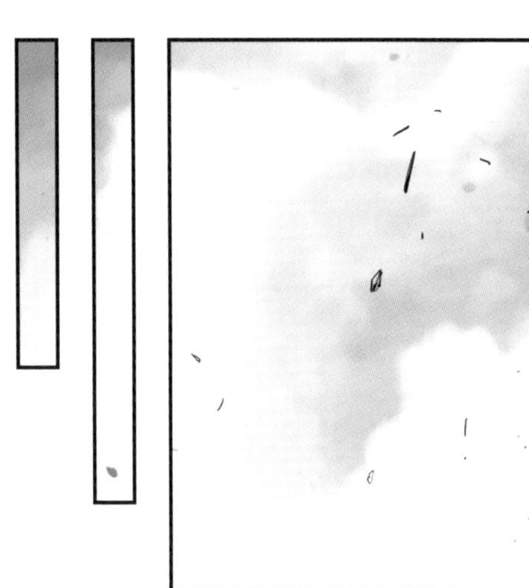

쿠우우

…….
이거야….
흡사 용 두 마리가
날뛰는 모습을
보는 듯하군.

하지만…,

그렇게 방어만 하면서
과연 얼마나 더
버틸 수 있을지….
큭큭큭
하아
하아

콰앙

쿠쿠쿠..

흐음?
그대의
부하들인가?

어리석구먼.
들어오는 족족
'내 아이들'의 먹이가
될 뿐이거늘….

뭣?!
크하하하..
이…,
늙은 여우!
콰앙
!

파악..

어머니,
제발…!

말했을 텐데.
지금의 나는
네 적일 뿐이라고.
찌likely

계속 그렇게 어설픈
마음으로 대하려 들다간
내 손에 죽게 될 게다!

크윽..
…….

그만─!

나는
여기까지야!

분하지만
네게 넘긴다!

강룡!
?!

음?!

도대체 무슨
헛수작을….
뭘 하고 있어!

빨리 오란 말이야,
이 뚱보야!

…….

꽉

그…럼…,
끄이…

이놈은
뭐야?!

설마….

푸우우우

91화

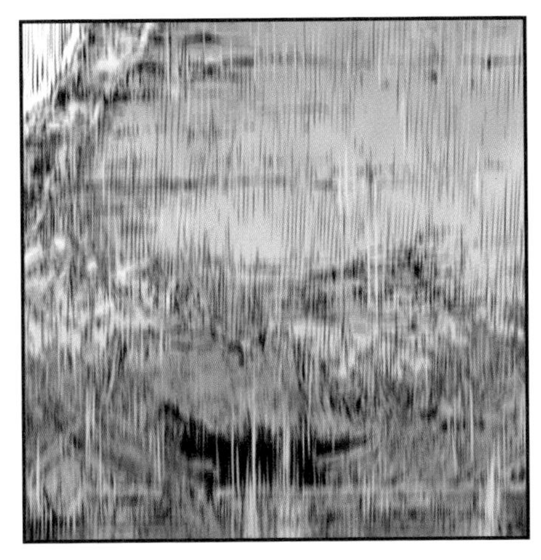

흑...

쿠..
!

쿠쿠쿠.

콰콰콰콰
쿠콩..
콩.

쿠。쿠쿠쿠..

......
쿠..우...우..

쿠웅..

쿨럭

걸을 수 있겠어요?
콜록 콜록

콰드득...
되도록 여기서 멀리 떠나 있으세요.
으음.

쿵.

…….

고독(蠱毒)
이군!

사부님은
금지시켰다
하셨지만
역시….

턱
팟..

파공장!

파앙…

근육과 신경을 마비시켜
'고'의 발동을 묶어뒀으니
당분간은 괜찮을 거예요.

내가 할 수 있는 건
이것뿐이라서….
부들
부들

역시….
바꿔치기
했던 거였나?!

하나, 계속 나의 수족들이 감시하고 있었을 텐데.
도대체 어떻게…?

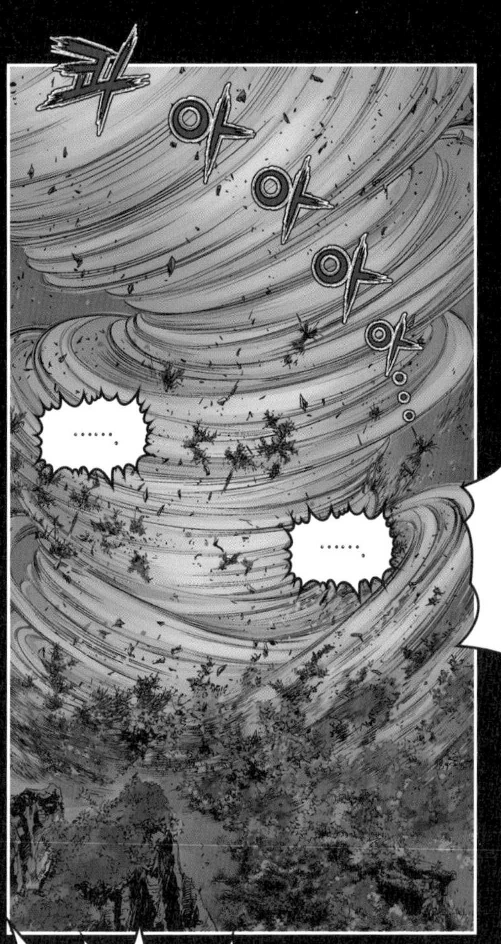
콰
아아아아…
……
……

쿠·쿠쿠쿠…
계속 눈치를 줬는데
왜 이렇게 늦게
시작한 거야?!
아,
미안….
'지금까지의 일로도
설명이 부족하냐'는
말을 들었을 때
겨우 생각 났어.
뭐?!

그럼 '검귀'는 대체
뭘 한 거야!
내 말을 제대로 전달하지도
않고 떠난 거야?!

전달 받았어!
받았는데….

그동안
얼마나 늘었는지
모르지만….

눈 똑바로 뜨고
잘 봐!
후욱…

쿠웅…

파아앗…

더 놀아주고 싶지만,
나도 가야 할 데가 있어서 말이야….

뭐…야,
저 자식.
일방적으로
지 할 말만 하고
가버리는 거냐….
뭔 말인지
알아보기도 힘들게
휘갈겨놓고는….
무슨 뜻인지
채 파악하기도 전에
계속 일이 터지는 바람에
생각을 정리해볼
틈이 없었어!
아까 '그 말'을
듣고 나서야
깨달았다니까!
쿠쿠쿠
내가 이런 둔탱이를 믿고
일을 꾸몄다니,
정말이지….

암튼 설명한 대로야!
놈을 상대하는 건
어머니의 안전이
확인된 다음!
죽이든 살리든
직성이 풀릴 때까지
내가 먼저 상대할 테니까
그 뒤는 네가 알아서 해.
이의 없지?!
쿠쿠쿠..
……

참, 그보다
예린이랑 마을 사람들은
무사한 거 맞지?!
다 잘 있으니까
걱정 마!
콰아아아…
예린이는
엄청 챙기네!

뒷수습은
우리에게 맡기고,
놈들 눈에 띄기 전에
넌 빨리 빠져나가!
……
쿠쿠쿠쿠쿠쿠
……

후. 우..우..
제법이군.

나 하나를 잡기 위해
2중 3중의 덫을 놓느라
아주 고생들 했겠어.
감동으로
눈물이 날
지경이야.
쿡
쿡
쿡

한데……,
내가 네놈이 찾는
그자인지는
확신하나?

이런 가면이야
저잣거리에서 몇 푼만 주면
누구나 구할 수 있는
흔한 것 아닌가.

자각

후욱..

쉬악..

킥!
피육

콰콱..

!

차아..
윽!

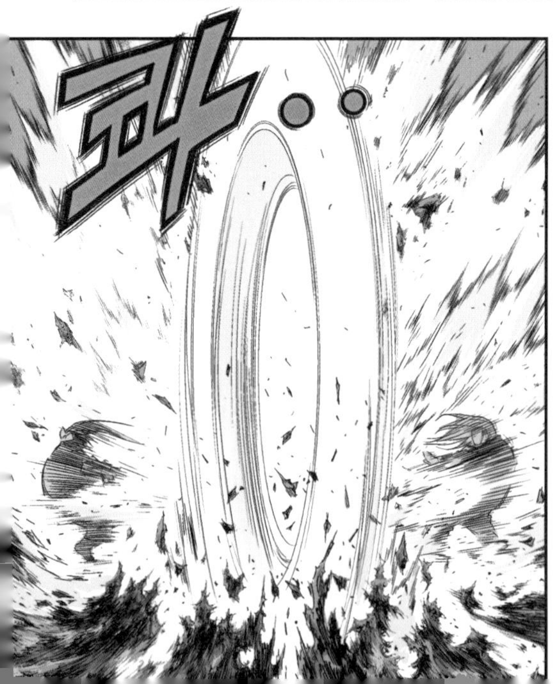
콰..

크음!
콰콱..

…….

그럴 리가…!

쳇….
젖비린내
나는 놈이…!

꽈드득...

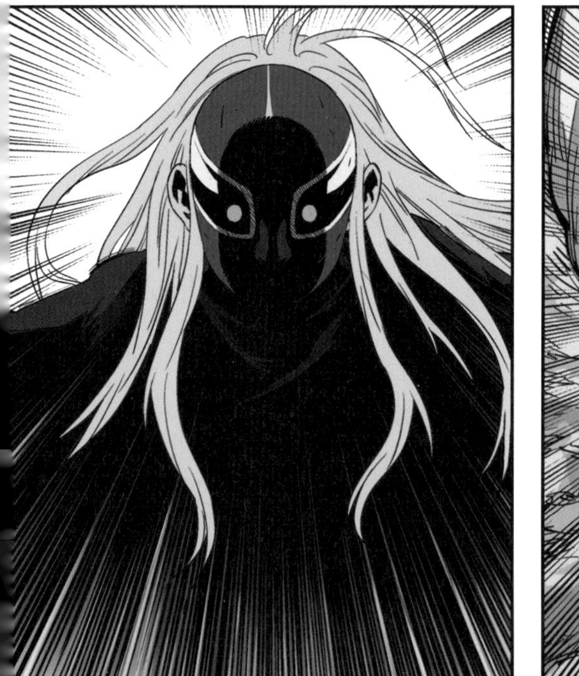

쾅

!
ス。。

파앙..

92화

쿠웅..

쿠
쿠
쿠

콰
콰
콰

ㅋ..오오오..

ㅋ.ㅋ.ㅋ..

후읍..

스윽
!

훅..

쩌억..

콰
콱..

큭..

카
각

쾅…

쿠..쿠..쿠..

…….

역시….
피유..

그때 본 묵륜공은
어딘가에서 지켜보고 있을
내 '눈'을 의식해
의도적으로 위력을
축소시킨 거였나.

그렇다 해도
이런 터무니 없는
파괴력이라니…!
음?

펄럭

빠
아..

콰
콰
콰

쿵..

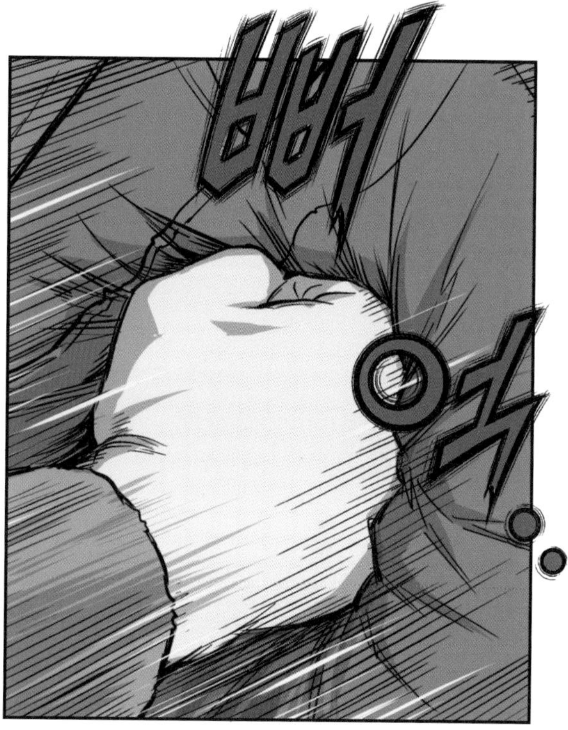
빠억..

카각..

콰
콰
콰

쿠..

쿠쿠쿠...

쿠쿠쿠쿠...
......

펄럭..

팽..
!

그쪽은
그쪽 사람들끼리
해결하게 놔두고
눈앞의 '적'한테나
좀 더 신경을 써
주시지요.
어머니!
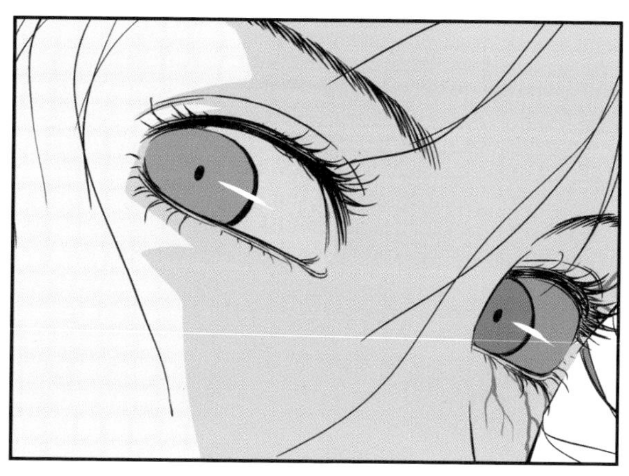

쉬잉..
팍

쿠웅..

피잉..

충

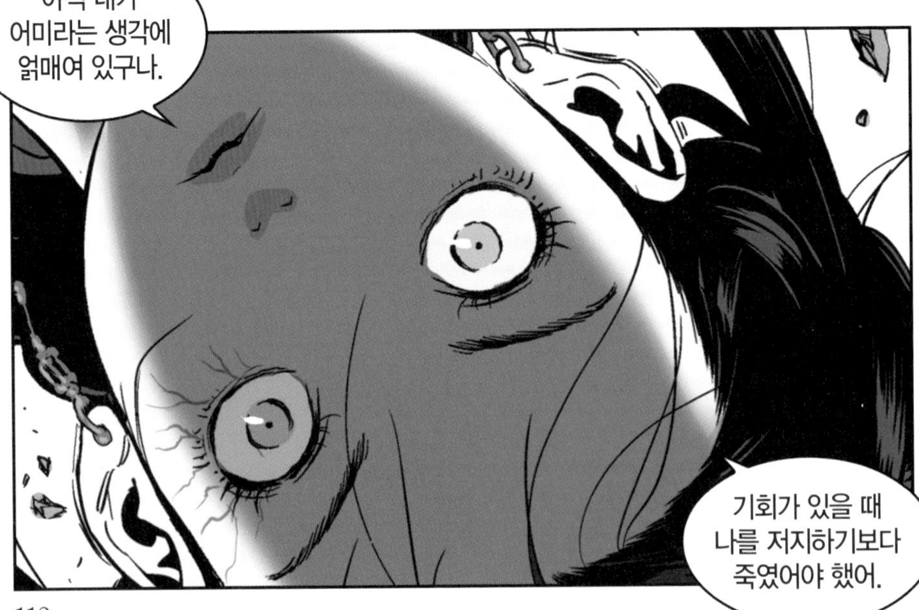
아직 내가
어미라는 생각에
얽매여 있구나.
기회가 있을 때
나를 저지하기보다
죽였어야 했어.

카 각

!

후우우

컥 컥컥...

이거
안됐구먼.
잠깐 동안
내가 죽은 줄 알고
설렜을 텐데 말이야.
쿡 쿡 쿡...

…….
죽일 마음이었다면
그렇겠지만….

죽일 마음
이었다면…?
내가 죽을까 봐 일부러
살살 해줬다, 이건가?

큭큭…, 무섭구먼.
무서워서 그냥
달아나버리는 게
낫겠는걸.

못 달아나,
당신!

…….

달아날 수도 없고,
죽이지도 않는다….
하면 도대체 내게
원하는 게 무얼까?

나머지
두 사람…,
혈비와 환사에 대해
알고 있는 모든 걸 말해.

흐흥,
이거야….

그 두 사람에 대해
알려주면 이 막사평은
살려주시겠다?

…….
아니.

하지만 최대한
고통스럽지 않게
죽게 해주지!

……

킥

크크크.
이렇게 관대할 수가….

그 넓은 아량에
무릎이라도
꿇어야 하나….

충
충.
!

쉬이잉…
팍
슈칵

콰앙..
파앗..

쩌어..

퍼억..

아아, 이거 미처 설명해줄 시간이 없었구먼.
쿡
쿡
쿡

내 전신을 감싸고 있는
이 '교룡갑'은
모든 외부 공격을
무(無)로 돌리는
무림 최고의
신물이니라!

퍼억

어?!

93화

팟..

콰앙

?
샤아..

?!

또…!

호오옹..
호옹..

!
콰아..

툭..

처걱..

끼걱..

....

그…렇군.
팔다리의
저 철채찍이
그 터무니 없는
공격 반경을
만들어낸 거였어.

교룡염….
교룡의 수염이란
뜻이지.
끼긱….
방어용 기물이라 해서
방어를 위한 기능만
있는 줄 알았나?

큭 큭 큭.

'고독'에 대해서는 들었겠지만,
이 신물은 '영감'을 몰아낸 뒤 손에 넣은 물건이니 네놈이 알 리가 없을 터.

아까 뭐라고 했더라….
죽일 마음이었으면 이 막사평을 죽였을 거라고?
조금 추켜줬더니 기고만장한 꼴 하고는…….

천하의 파천신공도 이 교룡갑에는 통하지 않는다는 것이 '귀영'과의 싸움에서 이미 증명되었다.
네놈 역시 지금의 짧은 교전만으로 어느 정도 깨달았을 테지.

자아,
어떻게 하겠느냐.
이대로 승산 없는
싸움을 계속 하겠나?
아니면 포기하고
하나밖에 없는 목숨,
구걸이라도 해보겠는가?
쿸
쿸
쿸
후자를 택한다면
너의 태도 여하에 따라
이번만큼은 특별히
아량을 베풀어줄 수도
있는데….

…….

…타고난 무골로
좀 더 수련에 정진했다면
능히 파천문의 후계를
다툴 만한 재목이었으나,
잡술과 편법에 심취해
스스로 재능을 탕진한 자,
막사평…!

지금이라도
다른 두 사람에 대해
말해준다면,
'앞서 말한 약속'은
지켜주지!

이 애송이가…!
큭..

행동거지와 말투,
나를 쳐다보는
눈빛까지…,
그 증오스런 늙은이를
빼다박았구나!

목숨을 살릴 기회를
주었음에도,
제 발로
차버리다니.

본인이 싫다면야
어쩔 수 없지.
딱..

자각..

저벅..

....

지금껏
교룡갑이니 뭐니
자랑을 늘어놓고는,

정작 싸움은
이런 꼭두각시들에게
맡긴다고?

꼭두각시라 해서
다 같은 꼭두각시는
아니니라.

슈콱..

!

치이이..

파아앗..

음풍지벽!

큐웅..

크윽!!

콰쾅..

쿠쿠쿠쿠

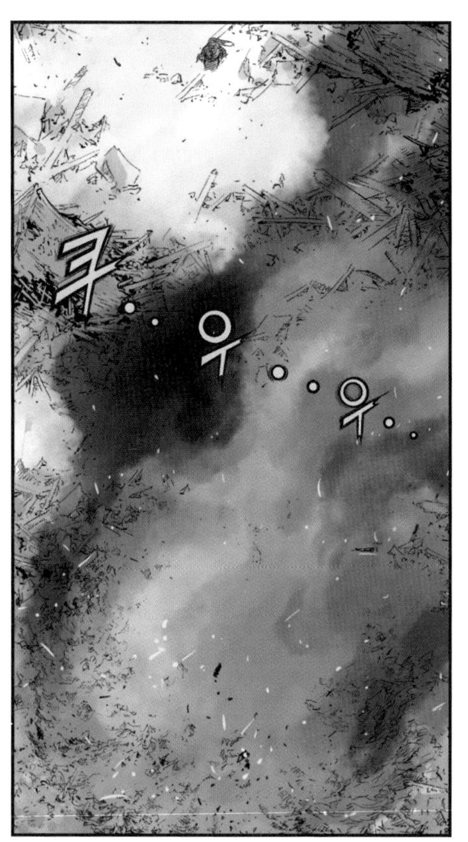
쿠..우..우..

후.우우우..

…….

쿨럭‥

슈웅..

팍.

투두둑..

!

칵..

야비하고
잔인한 성품이라
듣긴 했지만….

자신을 믿고 싸우는
수하들을 이런 식으로
희생시키는 인간이라니….

수하?

놈들은 그저
내 의지에 따라
움직이는 고깃덩어리에
지나지 않는다.
누가 그런 것들을
수하라 부른다더냐?

네놈의 살갗에 생채기
몇 개 남긴 것만으로도
놈들의 역할은
충분한 것이야!
파앗..

쉬이잉..

카카카캉

카앙

크읍!
까각…

싫으면
억지로 말해줄
필요 없어.
끼각…

팟…

'두 사람'에 대한 건
내가 직접 알아내면
되니까!

슈
캬..

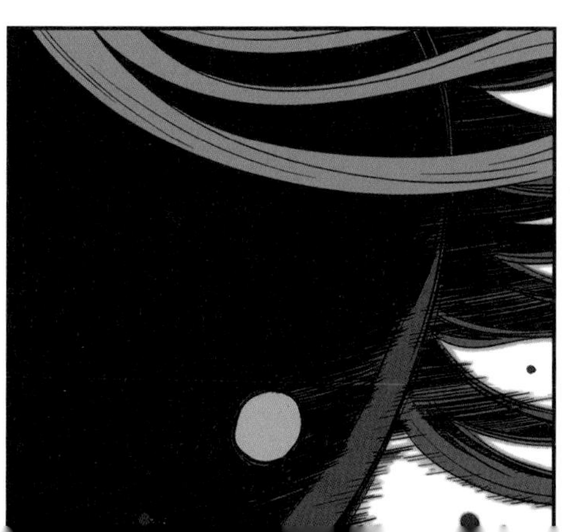

푸욱..

슈아아…

카…

아…

스으읏..
쿡쿡

교룡갑에 싸여 있지 않은
부분을 공격하면
될 줄 알았나?
쿡
쿡
쿡
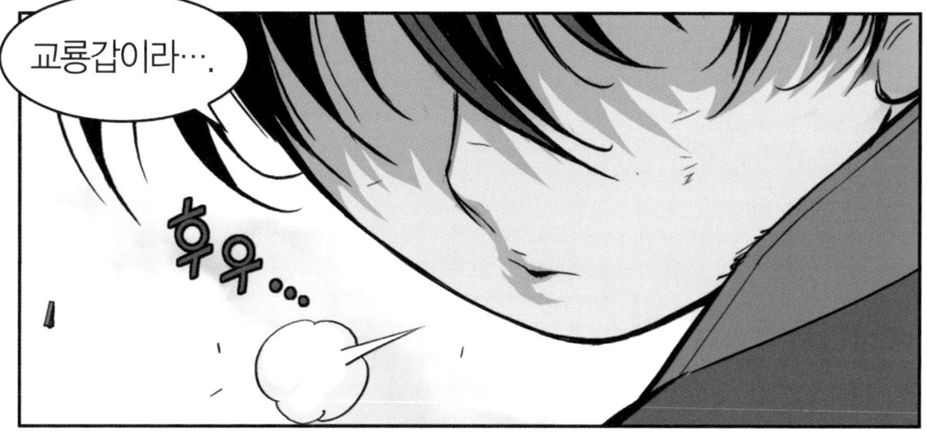
교룡갑이라….
후우...

서억…

칵…

뻐억…

촤악…

카가가각…

그런 식으론
안 된다고
했을 텐데.
컥..

훅..

카앙..

카카카캉

콰
콱

과연….
'신물'이란 말이지….

…….

이거 실망스럽구먼.
앞서 보인 파괴력은 인상적이었지만 정작 하는 짓은 귀영과 별로 다를 게 없어.

아니, 그렇게 말하면 오히려 귀영에게 실례인가.

놈은 적어도
이 교룡갑이 폭주할 지경까지
몰아붙인 강적이었으니…!

…게다가
'적'의 목숨까지
동정하는 놈이라….

사패천이라는
늙은이를 해치웠다길래
나름 기대를 했건만….
도대체 영감은
무슨 생각으로
이런 물러터진 놈을
우리에게 보낸 건지.

꾸득!..
꾸득

촤 악..

네놈에겐 흥미가 없어졌다.
빨리 치워버리고 백마곡주를 상대하는 쪽이 더 재미있겠어.

물론 제 어미를 죽이고 이쪽으로 올 수 있을지는 의문이지만….

가…령과
어머니가,
뭐…?
음…?
그들 모녀가
싸우고 있는 모습은
네놈도 봤을 텐데?
설마
직접 본 건
처음인가?
?!

그런….
가령의 모친은 분명
심가장이란 곳에
인질로 잡혀 있다고….

거짓이다.
그분은 병환으로
거동조차 불편한
상태라 했어. 그리고
두 사람이 왜….
지금은 그 몸속에
고(蠱)란 놈이
들어 있지!

네놈도 알다시피
살아서 고독을 벗어날
방법은 없다.
그러니 백마곡주가
이곳으로 오려면
제 손으로 그 어미를
죽이는 수밖에!
쿡 쿡 쿡

아아, 또 모르지.
고의 지배를 받고 있긴 해도
'의지'란 것이 아직 남아 있으니
소중한 딸을 위해 선대 곡주가
스스로 죽음을 택할지도.
……!

아니면
딸을 죽인 선대 곡주가
이곳으로 오려나?
결과가 어느 쪽이든
아주 흥미로울 것 같구먼.
크흐흐흐...

역시….

안 되겠어.
사부님 말씀이
옳았어….

?

쉬잉..

읏!
쩌엉..

턱

크읏!

카 캉...

촤
촤
촤

우웅..

카카카칵

카카캉

!

캉..

크
크
크
콰콱

쿠콩...
콩...

큭큭큭..

힘 하나는
무식하게 좋은
놈이구먼.
투둑...
콰드득..

하나, 귀영이 펼친
파천십이신공의
모든 초식을 견뎌낸
교룡갑이다.
그따위 허접한
검 한 자루로 뚫을 수
있을 줄 알았나?

후회가 남지 않도록
네놈이 가진 비기들을
모두 펼쳐보거라.
너희가 그토록
자랑스러워하는
파천신공이란 것이
얼마나 알량한 무공인지
깨닫게 해주마!

…….

당신,
사부님하고
싸워본 적 있어?

나하고는?

…그런 자가
파천신공에 대해
제대로 알 리가 없지!

…….
뭐가 어째,
이 쥐새끼가!

팍

파천투쇄격.

쿡..

빠아..

크읍!
콰콱..

파야..
쿵

각..

소용없다!
검으로도 뚫지 못한
교룡갑이 장, 권에
뚫릴 것 같으냐!

빠악..

퍼억

억?..

94화

쿠..

콰 콰 콰..

쿠·구·구..

으윽!

치랏
촤락
치랏

허억
헉

…….

투쇄격?
저벅

파천신권의
기본 초식에 불과한
타격법으로,
교룡갑을
뚫었다고?

크윽

콰곽

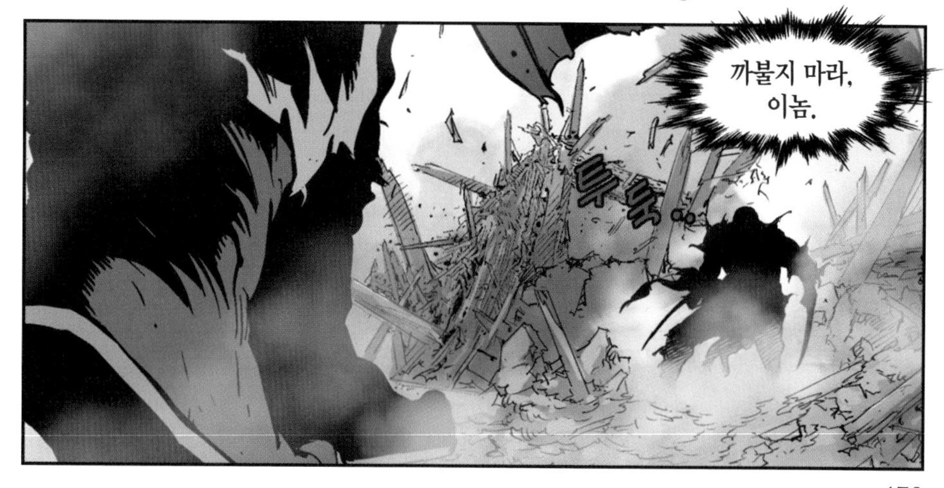
까불지 마라,
이놈.
투둑

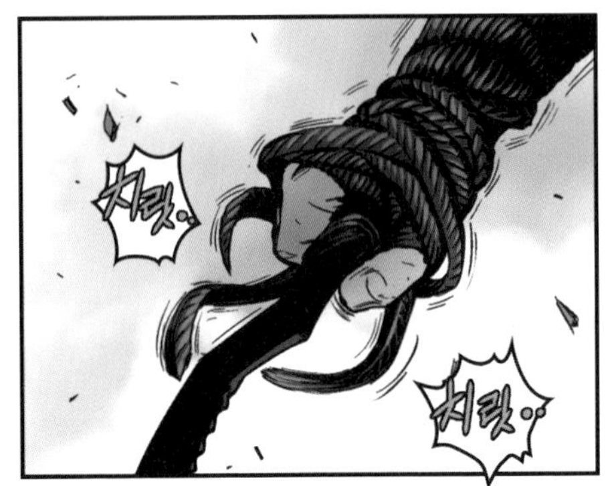
치랏..
치랏..

촤락..

인간 따위가….
슈아앗..

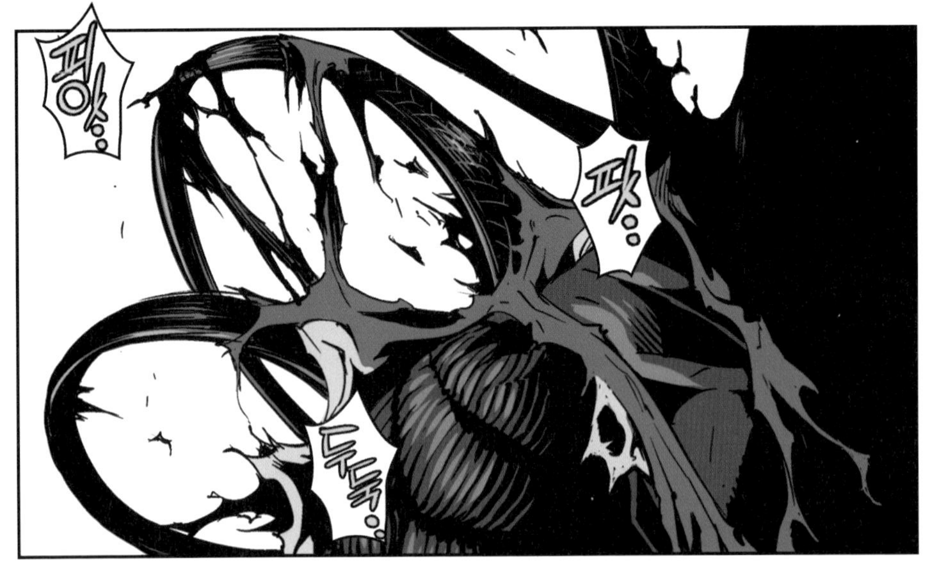
피앙..
팟..
두둑..

뿌드득…
뿌득…
두둑…

인간의 몸으로 익힌 무공 따위가,
하늘이 내린 신물의 힘을 뛰어넘을 수 있을 거라 생각하느냐.

슈아앗..

슈하앗..

콰앗..
카가각..

쿠웅..

쩌어..

크ㅋ..ㅋ..

!

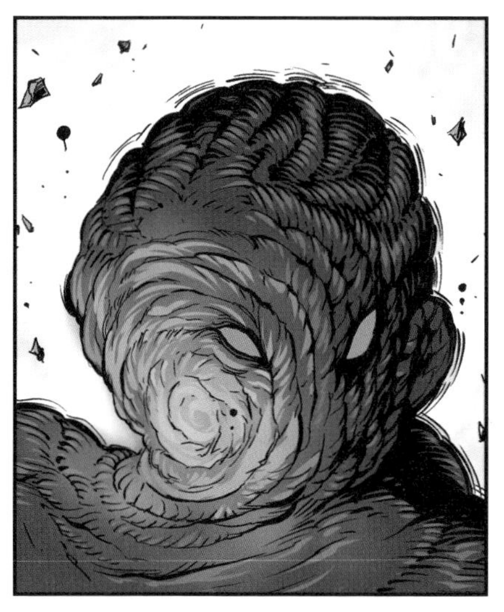

빠각

끄억!

쿠콰콰콰..

으그극….

스륵..
크극…

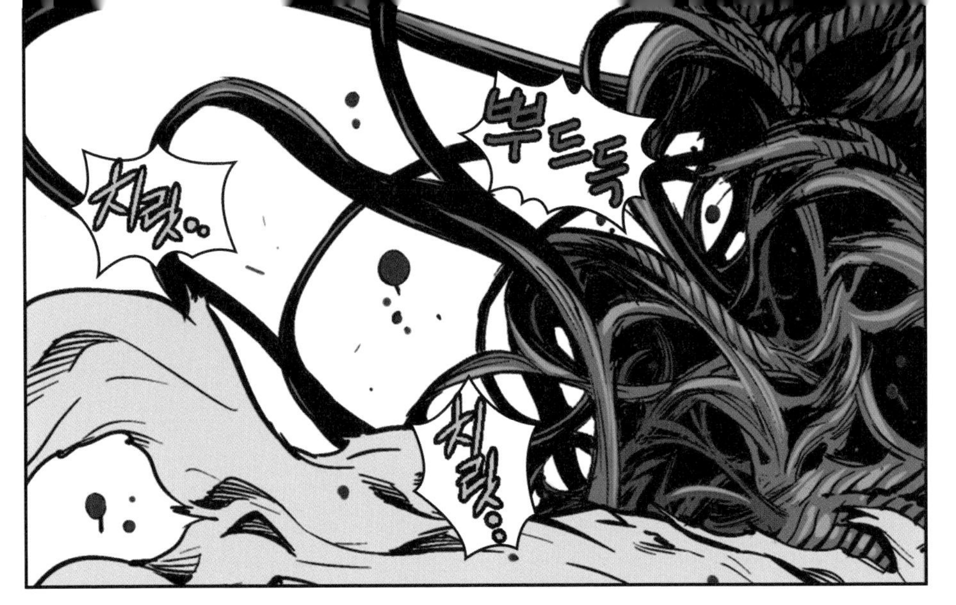
차락..
뿌드득
차락...

차락..
차락...

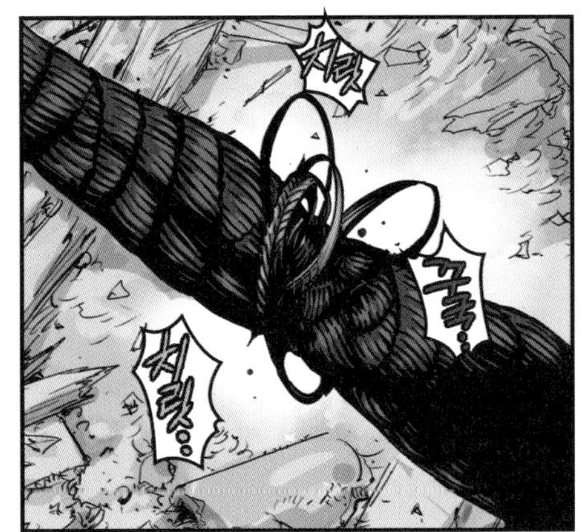
차락
꾸륵...
차락...

스륵..
스륵..

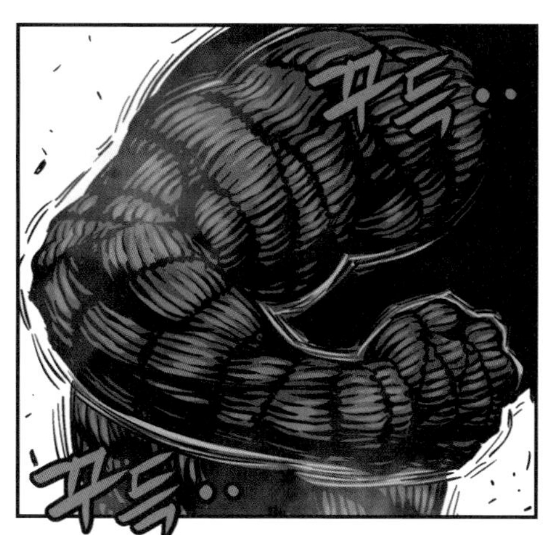
꾸득..
꾸득..

후욱
후우

투두둑..

아직이다.
이 고롱갑의 힘은 아직 절반도 보이지 않았어.

스르륵!
스륵!
스륵!

우득
우득

진짜 싸움은 지금부터다.
오너라.
꾸득..
꾸득..

움직일 수나 있겠어?

쿠。。

콰아。。。
쩌저적。。
!

쿠。쿠。쿠。。
으윽!

쿠。。구구。구。。
큭!
우둑。。

쿠우…

콰콰콰콰

크극!
크 · 크 · 크 · ·

이…,
크 크 크 크

이렇게나 강한 내공이라니, 믿을 수가….
우우욱
네놈과 호각으로 싸웠다는 사패천도 이 정도는 아니었을 텐데.
그 늙은이에 대한 우리의 정보가 잘못된 건가.
쿠·구·구…
그건 이상하군.
당신이 말하는 사패천이 내가 겪어본 그자라면 결코 이보다 못하진 않을 텐데?

…돌이켜 보면 당시의 상황이 그렇게 돌아갔을 뿐.
……
굳이 그와 내가 서로 죽고 죽이는 싸움을 해야만 할 이유 같은 건 없었어.

그러나 당신들 네 사람은 달라.

더욱이 목적을 위해
무고한 이들까지 희생시키는
파렴치한 임에야…!
…….

어차피
죽여야 할 자들이라면
힘을 조절해가며
싸울 필요가 없지.

고(蠱)라는
독충은,
시술자가 죽게 되면
그 즉시 활동을 멈추고
잠든다고 들었다.
쯔걱

그나마 죽음으로
자신의 죄업을
조금이라도 덜 수 있게
되겠군.

쿡 쿡 쿡 쿡

무고한 희생?
웃기지 마라, 애송아!
네놈의 사부가
널 그리 가르치더냐?!
내가 아는 한
무고한 이들을 누구보다
많이 죽인 자가 바로
파천신군이다!

단지
본보기를 위해,
저항을 포기하고
항복해온 다섯 마을과
하나의 성을 괴멸시킨
학살자.

네놈이 지금 서 있는
이 장소가 바로
그때 괴멸된 그곳이다!

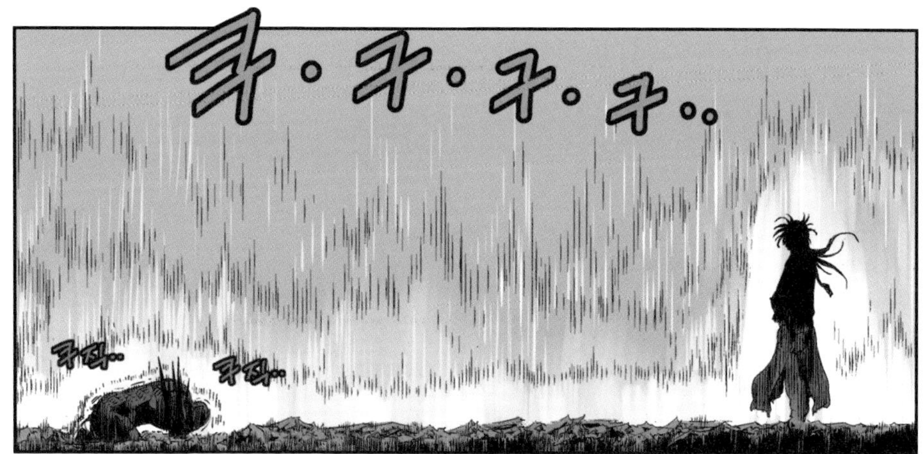
크·크·크·ㅋ..
쿠직..
쿠직..

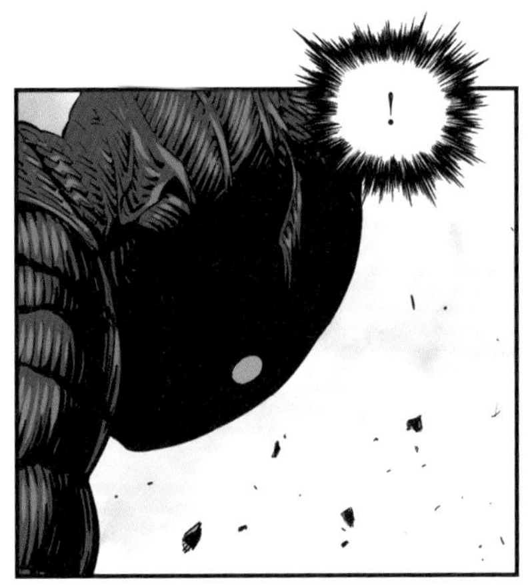
!

뿌
붉..

생사를 건 싸움에선
상대의 숨통을 끊기 전까지
방심은 금물이지.
크크크크

나를 흔들기 위해
지어낸 말이었군.
그럴 줄
알았어.

푸화악

95화

부드득...
뿌득...
두둑..

파아아악

가…령?
…….

어째서….
툭

피하지 못할 공격이
아니었을 텐데…?

펄럭

!

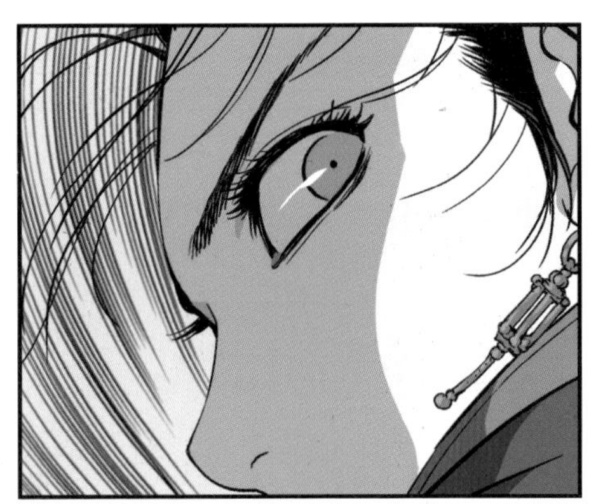

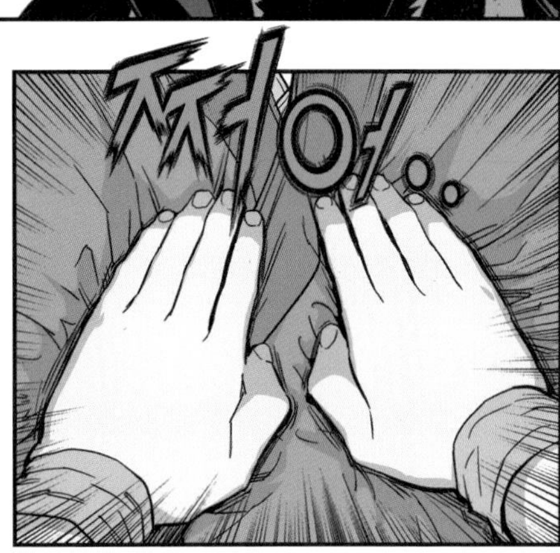
쩌어..

투웅..

커억..

됐어…….
임시방편이긴 하지만
지금은 우선
이렇게라도….

한백신장….
일시에 혈맥들을 냉각시켜
신체를 마비시키는 장법….

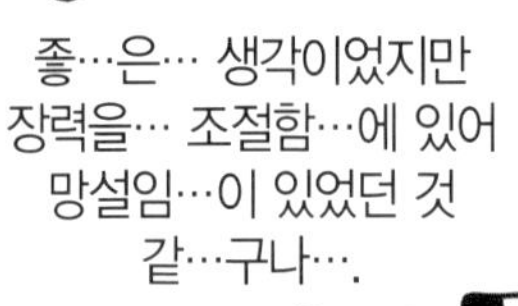
좋…은… 생각이었지만
장력을… 조절함…에 있어
망설임…이 있었던 것
같…구나….

내 몸속의 '고'란 놈이
폭발하진… 않을까…
신경… 쓰였던… 탓일 테지….

아….
안 돼.

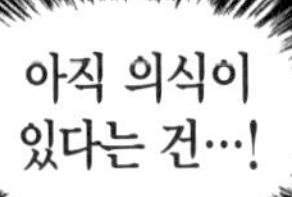
아직 의식이
있다는 건…!
거…듭 말하지만
이건… 모두… 내 욕심이
부른… 결과….
네 잘못…이
아…니야….

내게…서
떨…어지…거라.
어서….
어머니!

비켜봐.

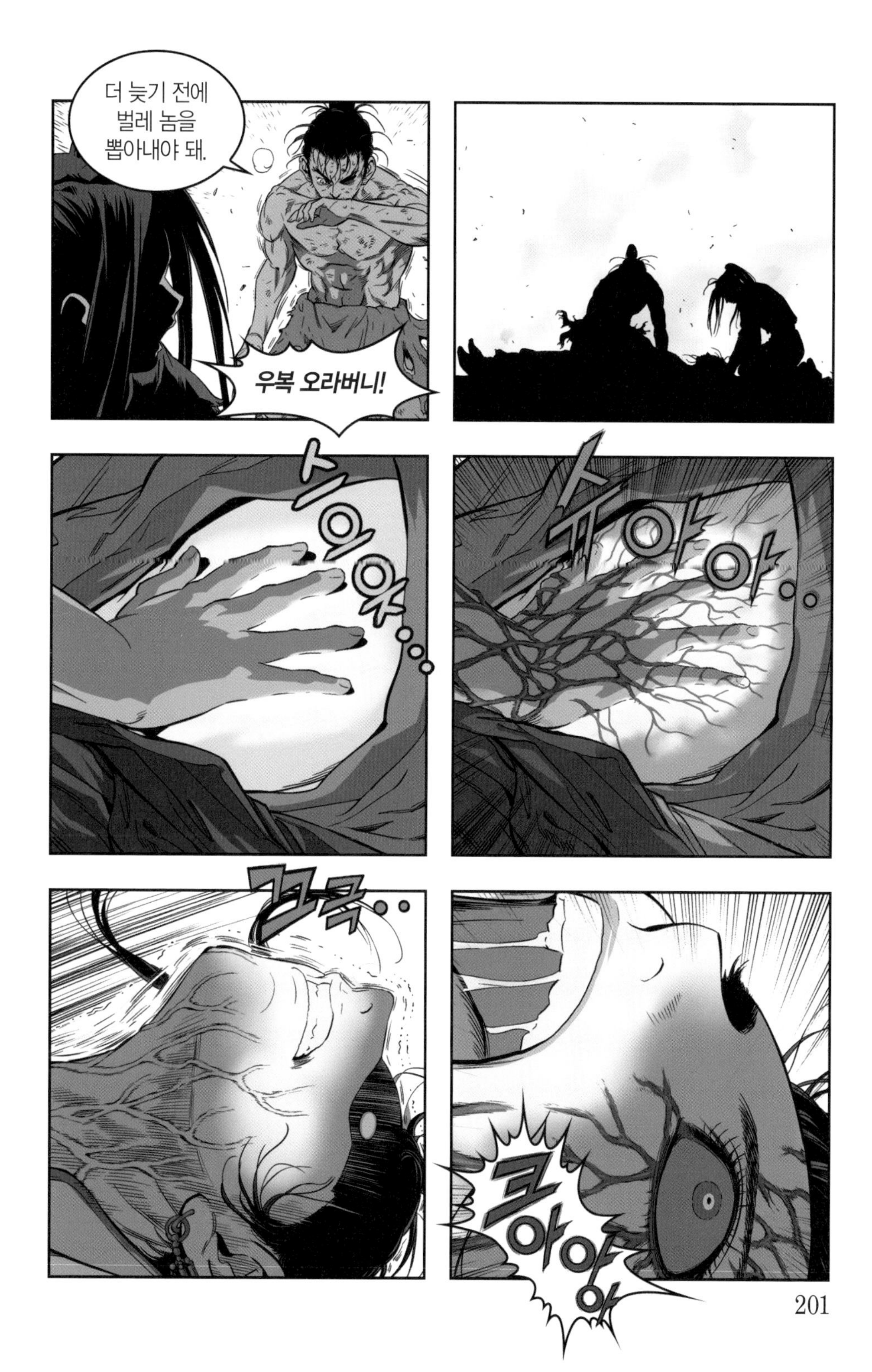
더 늦기 전에
벌레 놈을
뽑아내야 돼.
우복 오라버니!
스으윽...
슈아아아..
끄극..
크아아아

크윽…
꾸득
꾸득
?
어딜 가는
거예요?
이놈을 다른 곳에
이식해야 돼.
자폭까진 내 힘으로
제어할 수가 없으니….

?!
후욱
스으으..
슈아아앗..
쿠드득.
쿠드득..
쿠득.
......!
치이이..
뭐 하고 있어!
폭발한다!
피해─!

어머니 때문에…!
우복 오라버니도
이쪽으로 와요!
내 걱정은 말고
빨리 피하라니까!

…….

저건….

잠든 건가,
저 벌레가…?

고(蠱)가
잠들었다는 건
설마….

…….
크..우..우..
…….

크윽.
…….
빌어먹을.
콜룩
콜룩

모두 물러서라! 한꺼번에 쓸어버려야겠다!

츱..
귀찮구먼.

각자 목숨은 알아서 챙기도록!
자, 잠깐만요, 장로님…!
예엣?!
그, 그런!

음?

크으..
크극..

응?
저것들
갑자기 왜 저래?
??

긴장 풀지 마.
저것들 우릴 속이려고
흉물 떠는 걸 수도 있어.
새키들
X랄하네.

!

끄….
크윽..

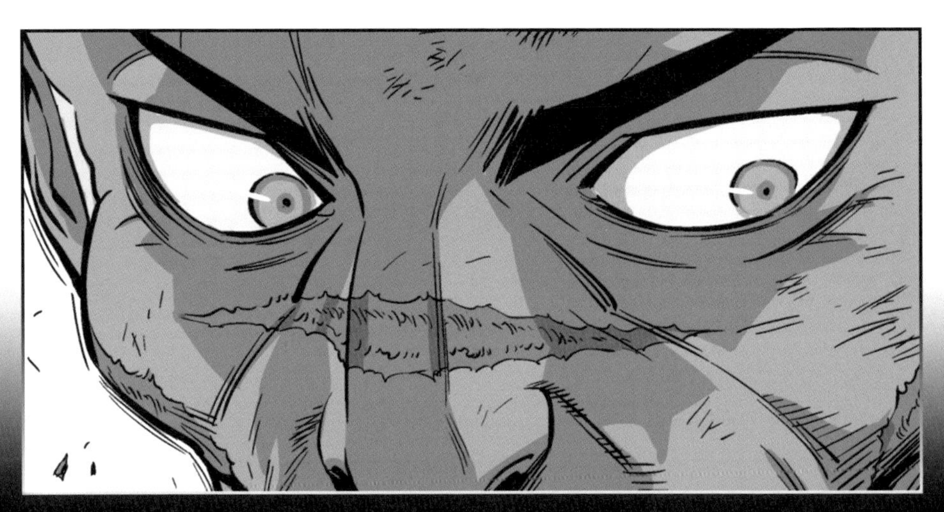

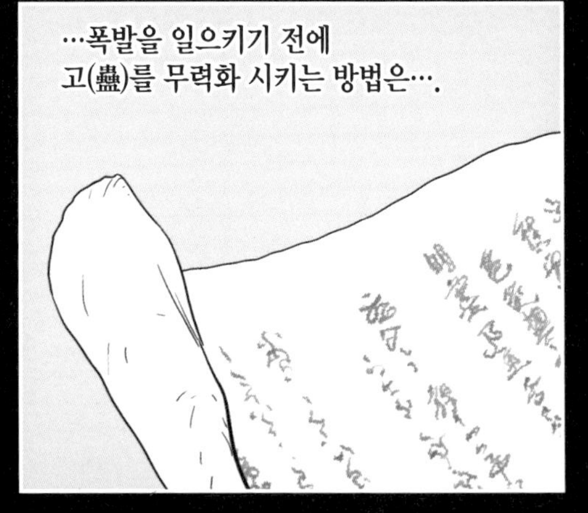
…폭발을 일으키기 전에
고(蠱)를 무력화 시키는 방법은….

시술자….

막사평이란 놈이
죽었나?

어?!
?!

다,
당 장로님!
또 어딜
가십니까?!
…….

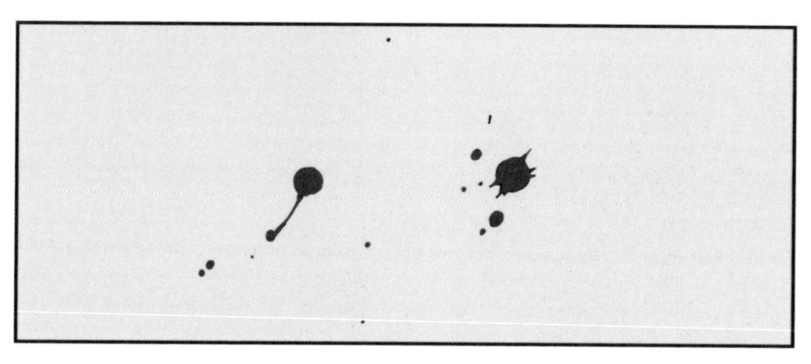

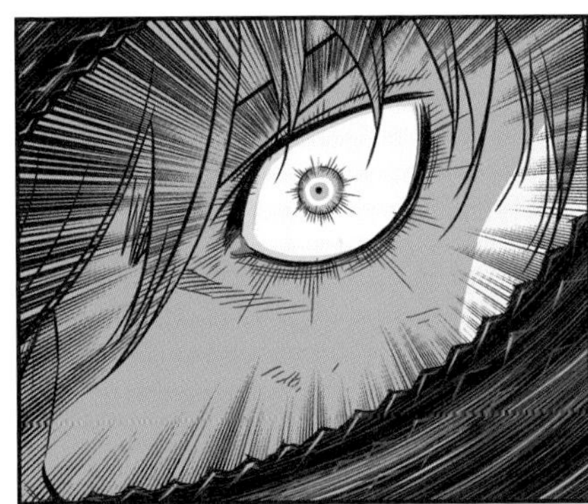

슈아아..

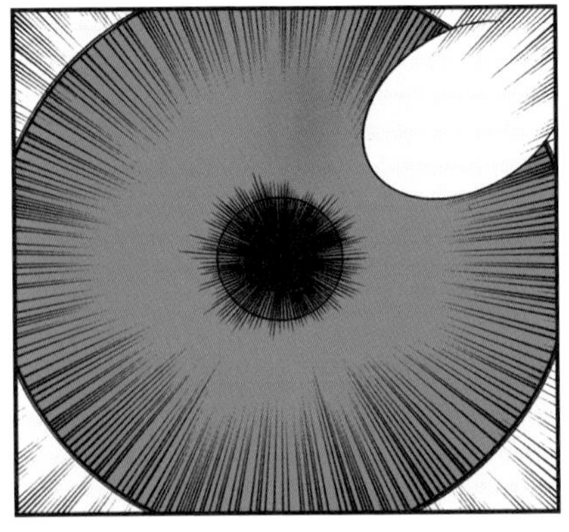

?

막사평의
기억…?

뭐…지,
이건?

사부님?

크윽...
꾸득
꾸득

96화

캉
캉
캉

식사 준비 됐어요!
오세요—!

벌써
식사 때가 됐나?
빈둥거리니까
시간이 더
잘 가는 거 같어.

이쪽으로 앉으세요, 왕 할머니.
응, 고맙네.
점장님이랑 예린이 누나도 빨리 오세요!
오냐.
한 며칠 만두는 실컷 먹는구먼.
히히.
그나저나 언제까지 여기 있어야 하는 거야?
오늘 내일이면 돌아갈 수 있다던데.
술이 싸구려 죽엽청이라 좀 아쉽네.
공짜로 먹으면서 별걸 다 따지셔.
에이, 여기서 계속 살면 안 되나?
천천히 먹어, 이 녀석아.
계속 먹고 뒹굴거리니까 군살만 찌는 것 같어.

넌 안 먹고
어디 가냐?
배 안 고파요.
잠깐 바람이나
쐬고 올게요.

부 장로님.

멈추시오!
!

동굴을 떠나면
안 됩니다, 소저.
즉시 돌아가시오!

…….

자박…

소저!
자,
잠깐!

혹시 객점으로
돌아가려는 건
아니겠지요?
…….

근처만 좀
걷다가 올게요.

아, 예…….
그럼 너무 오래
걸리진 않도록….

…….

이거 괜찮은 겁니까?
분명 아무도 여길
못 벗어나게 하라는
지시가….
저 소저는
예외야!
지금처럼 기분이
안 좋아 보일 땐
특히.

…….

그만, 그만!
눈치 긁었으면 적당히 따라 올 것이지, 뭐 이리 뻣뻣하게 굴어!
오늘 확 해볼까, 진짜!
계속 했다간 정말 싸우겠네.
……!
아?

가게를 다 부숴놓고
해보긴 뭘 해봐요!
누가 누구한테
화내는 건데, 지금!

이래야 의심을
안 사니까 그렇지!
암튼 시간 없으니까
빨리 따라와!
설명은 가면서
해줄게!
뭔 소리야!
우리가 왜 댁들을
따라가요?!
으윽!

용이 관련된 일인데
협조 안 해줄 거야?!
!

…….

너…,

오늘 내 덕분에
산 줄 알아.
예?
뭡니까,
뜬금없이?

뭐…,

뭐야,
저게?!

휘·우·우...

촤락!
촤락!

꾸드득.
꾸드득.
꾸드득.

꾸드득
꾸드득.

...
...

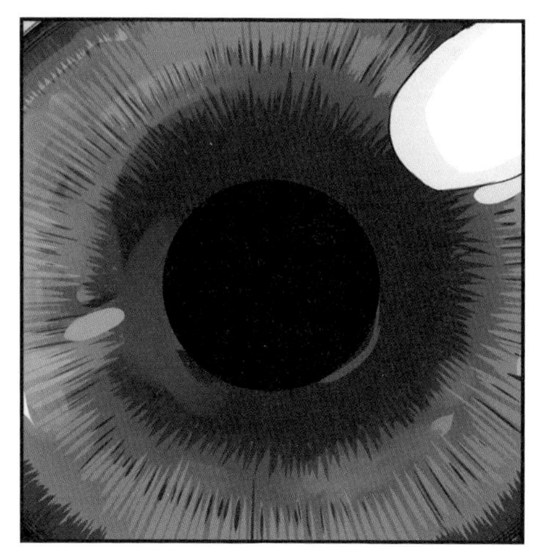

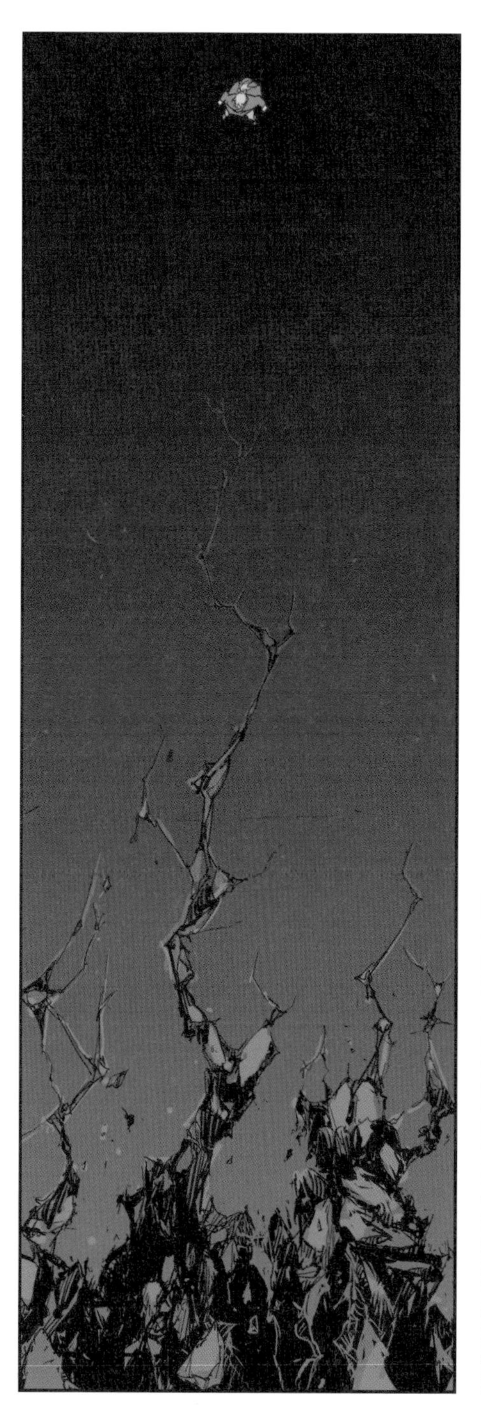

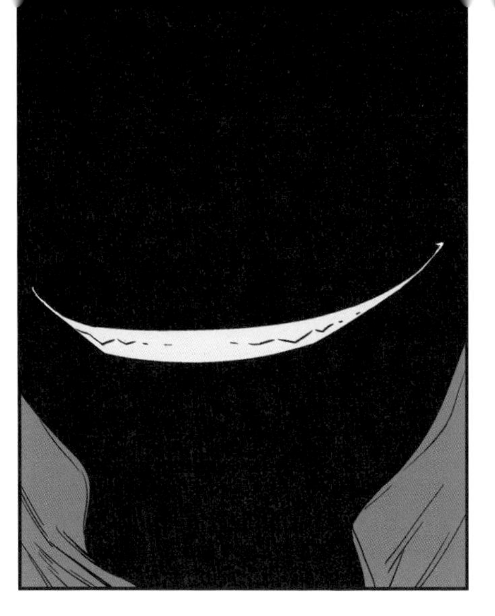

잡았다!

!

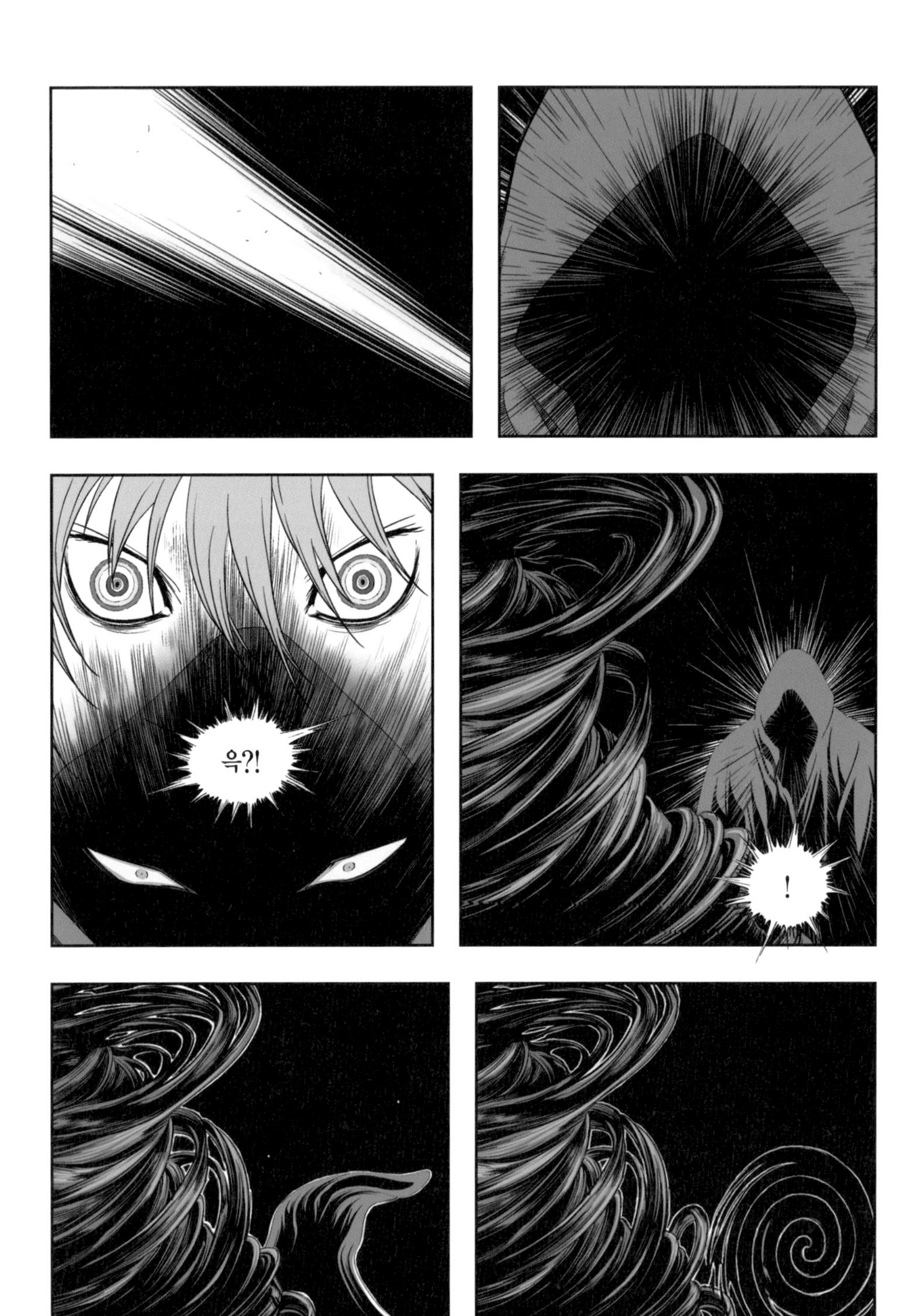

윽?!
!

음?!

97화

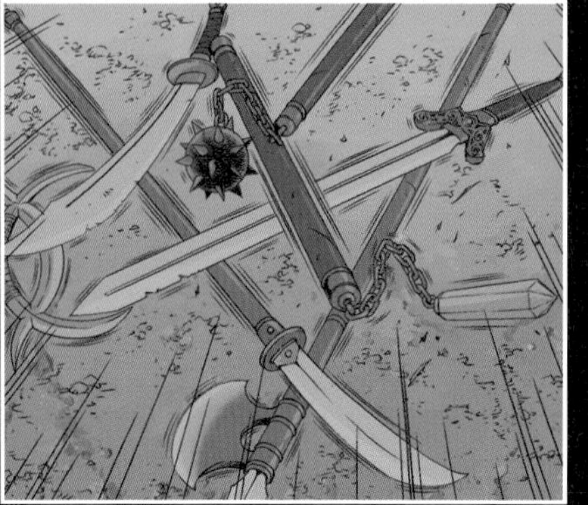

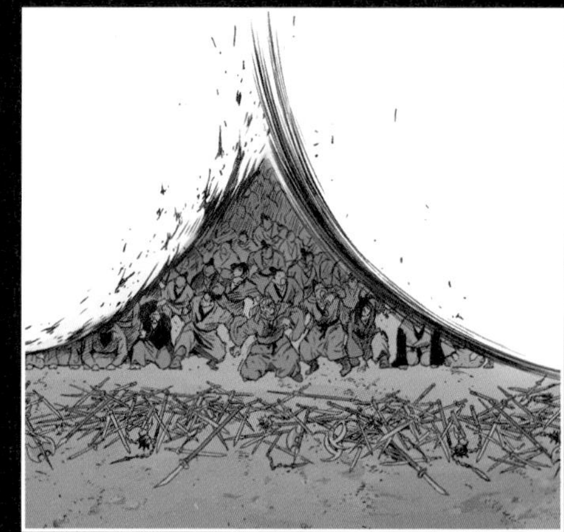

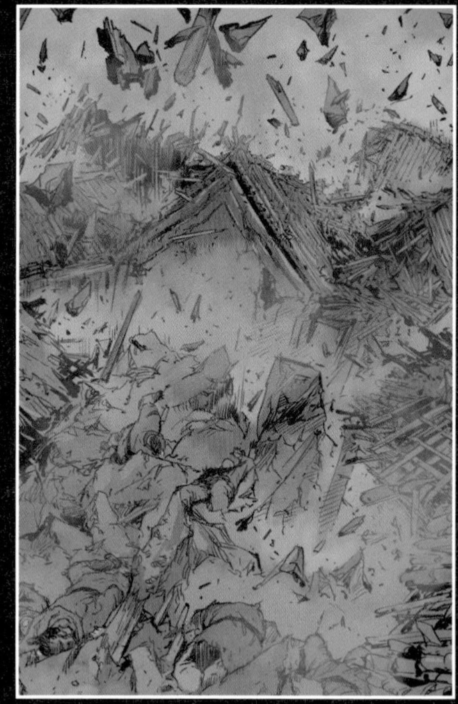

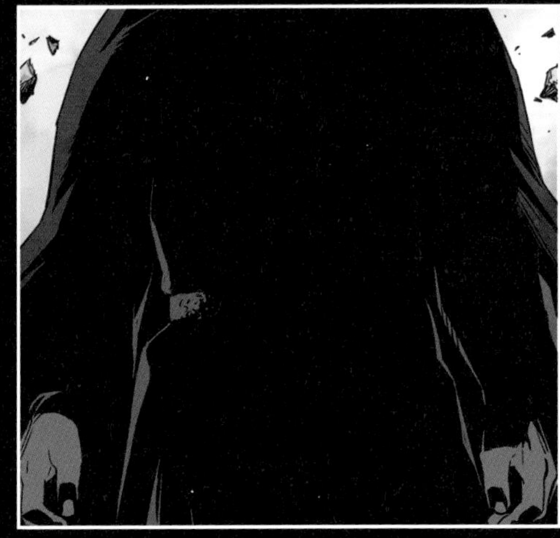
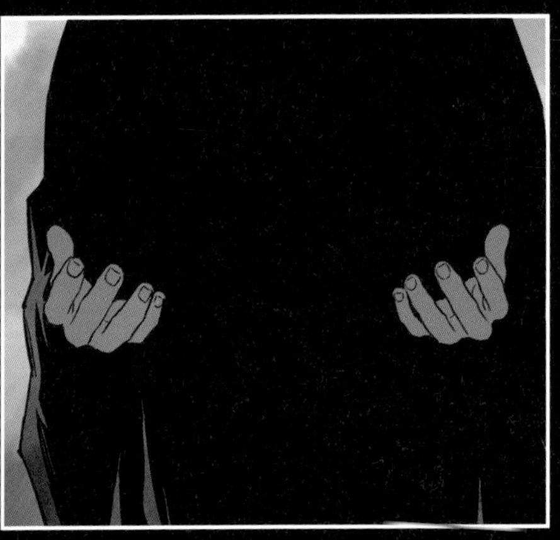
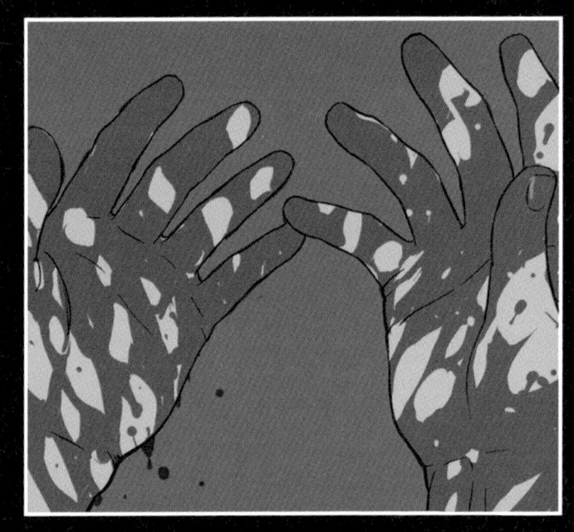

푸하앗

…….

대체 뭐가 어떻게
돌아가는 거야?

질끈
질끈
후우..
후우..

츄앗..

내 말이
맞지?

어떠냐?

우리가 말렸음에도
항복해온 이들은….
닥쳐!

그래서
어떻다는 거야!

사부님이
무슨 일을 했건,
네놈들이 저지른 죄가
정당화 될 것 같아?!

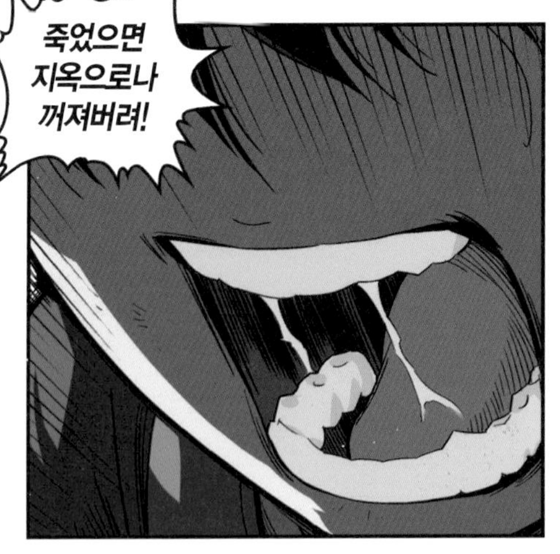
죽었으면
지옥으로나
꺼져버려!

쿠웅…

웃차!
휴우.
저…!

!

이, 이런.
네 녀석들은 왜 따라온 거야?!
옛?!
응?!
그야…, 당연히 따라오라는 줄 알고….
헉! 저게 뭐야?!

쿠아..

!
쿠쿠쿠쿠

뭘 멍청히들
서 있어?!
으아앗!

쿠
그
긍…
휩쓸리기 싫으면
빨리 물러섯!
…….

쿠·쿠·쿠··

?!

강룡…?
……!

툭..

용이?

왜
울고 있어?

…….

용안의
소유자라니.

도대체 어디서
이런 낯도깨비가….

무슨 일이냐.

무존(武尊)께서
찾으십니다….

곧 간다
일러라.
옛!

이거…,

내가
좋은 구경거릴
놓친 건가.

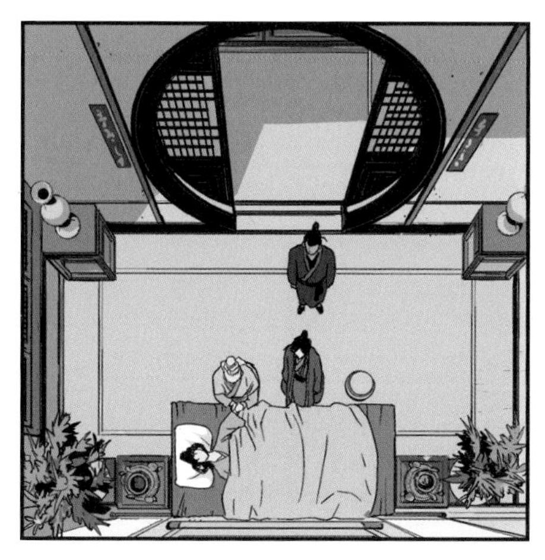

98화

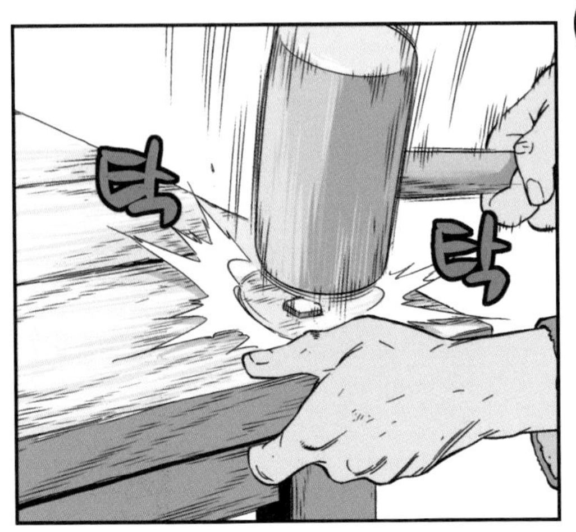
탁
탁

됐어.
안으로 옮겨.
휴..
엡!

아직 멀었어요?
우린 끝났는데.
여기도
다 끝났어.
…….

수고들 많으셨수.
쓰시다가 이상 생기면 또 연락 주세요. 석 달 동안은 무상으로 수리해드릴게요.

역시 전문가를 쓰는 게 깔끔하구먼.
돈은 좀 아깝지만 진작 쓸 걸 그랬어….

어차피 경비는 백마곡으로부터 받았잖아요.
가게 수리비랑 그동안 장사 못한 보상금까지.
그건 그거고.

…….

'그 일'이 끝난 뒤,
모든 것이 빠르게
일상으로 되돌아갔다.

우리와 함께 납치(?)됐던
단골 고객들도 각자
그들의 집으로 돌아갔다.

백마곡 측에서 뭐라 설명했는지는 모르지만
그들 대부분은 이번 일의 자세한 내막에 대해
모르고 있었다.
에이~, 며칠 더 있어도 되는데….
피부가 좋아진 거 같어.
이런 거 주기적으로 했음 좋겠다.

내가 놀란 건 황룡사 스님들까지
모두 황룡사를 비우고
내원사에 가 계셨다는 거다.

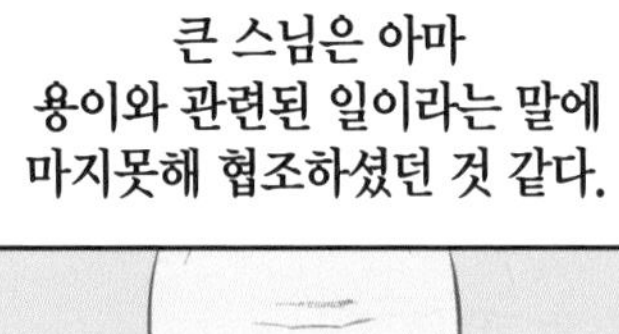
큰 스님은 아마
용이와 관련된 일이라는 말에
마지못해 협조하셨던 것 같다.

참….
도 실장이
객점 일을 그만뒀다.
본인은 임시 휴직이라며
다시 돌아오겠다 했지만….
넌 지금까지
어디 있다가
이제야 나타난 거야?!
예?
어,
그게….
쿠당탕..

그, 그만
진정하십시오.
으윽.
저희들
입니다.
응?

뭐야….
그럼 앞으로 나오면 되지
왜 살금살금 따라온 거야?
안 그래도
짜증나는데.

일단 미행을
붙여놓긴
했습니다만,
속히
돌아가보셔야
할 것 같습니다.
…….
…급한 일로
한 며칠 풍진방에
다녀왔는데.

숙…부를
찾았다고?
예.

아무래도 이곳 일을
당분간 못하게 될 것
같아서….
…….
…….
…….

어, 근데
객점이 왜 이래요?
나 없는 동안에
뭔 일 있었어요?
빨리도
물어본다!

아무튼 도 실장은
그렇게 떠났다.

일이 해결되면 꼭 다시 돌아와
청혼(?)하겠다는
알 수 없는 말을 남기고….

……."

청혼의 대상이
설마….
??
뭘 보냐.
내 얼굴에
뭐 묻었냐?

것보다
백마곡 쪽은
죽거나 다친 사람
없대냐?
자세한 건
모르겠어요.

그쪽 사람늘
원래 그런 얘긴
잘 안 하잖아요.
하긴….

백마곡 언니의 말에 의하면
그 언니의 어머니도
연관돼 있었던 것 같고
다친 사람도 아주
없는 것 같진 않지만,

그래도 큰 불상사 없이
잘 해결됐다고 한다.

걱정했던 우복 아저씨도
다치지 않고 무사히 돌아왔다.

그리고….
다녀왔습니다!

와!
그새 다 고쳤어요?

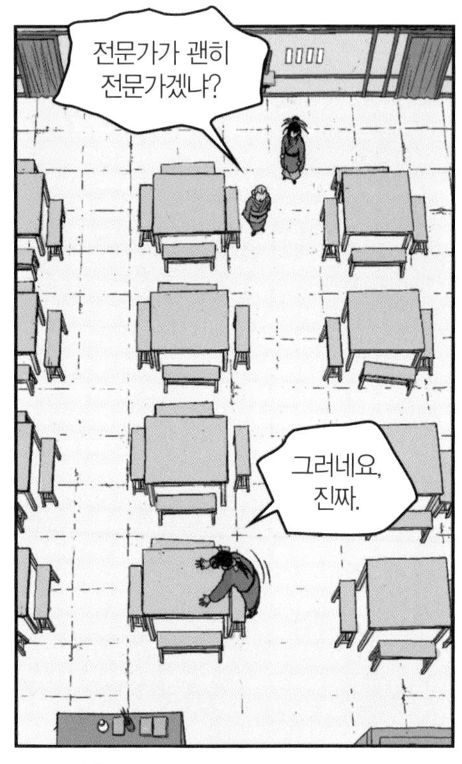
전문가가 괜히
전문가겠냐?
그러네요,
진짜.

용이 또한 이전의 용이와
다를 게 없는 모습이다.

…….

어색할 정도로….

아직 멀었어?
으응….
먼저 들어가.

툭.

그걸로 새로 하고
낡은 머리끈
이리 줘봐.
!

아직은 이것도
쓸 만한데….
쓸 만하긴,
너덜너덜하구먼.
기워서 다시
돌려줄 테니까
빨리 줘.

그럼 나 먼저
들어간다.
그래.

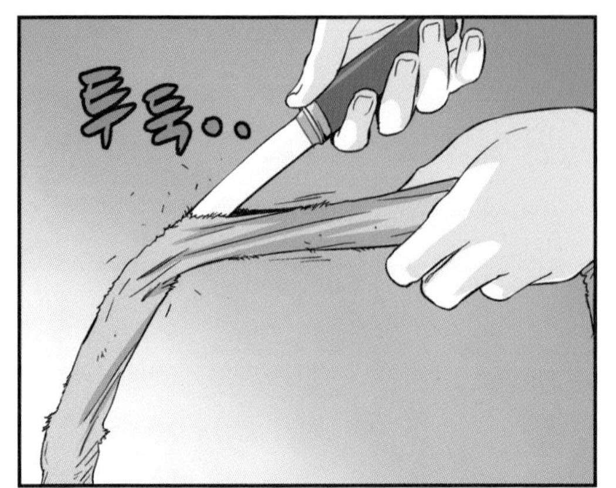
투둑..

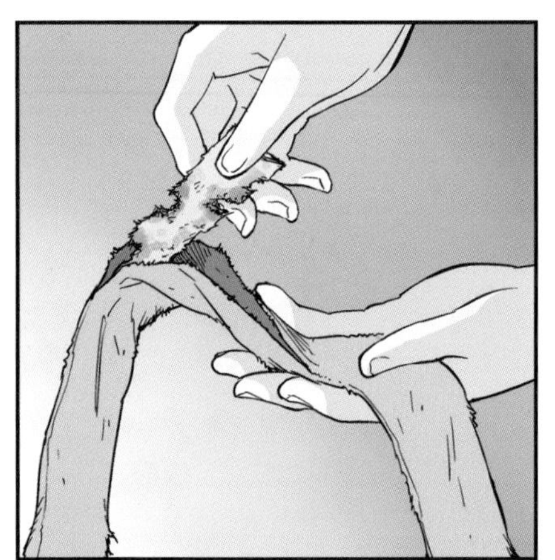

!

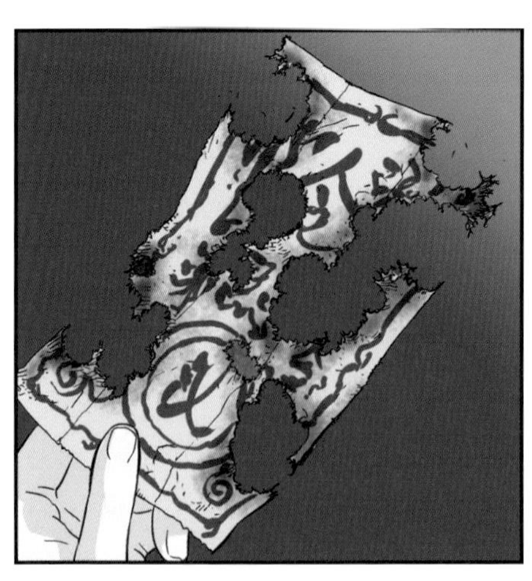

역시….
그날 느낀 게 잘못된 게 아니었어.

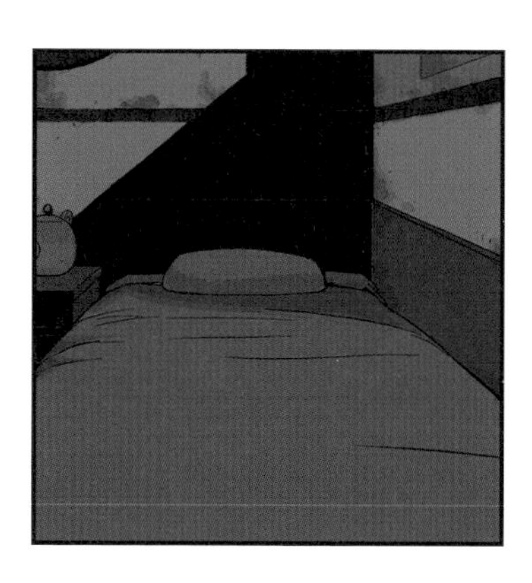

흐음….

어떤 움직임도
없었단 말이지….

현재까진
그렇습니다.

막사평이
독단적인 판단으로
움직일 리 없다고
생각했는데.

내가
잘못 짚었나?

아무튼,

조만간
알게 될 테지.

이 적막이
단순한 적막인지,

폭풍전야의
고요일지…!

타닥
탁

거듭 말하지만,

선대 곡주님의 신변을
확보하는 것이 우선이다.
그런 다음
청화산으로 가보게.

그곳 어딘가에 그 영감의
은거지가 있다는 첩보가 있었어.

…….

또
허탕인가….

백마곡의 정보력이란 것도
생각했던 것보다 실속이 없군.

차라리 내가 직접
찾아다니는 게 낫겠어….

이제 어디로 간다…?

99화

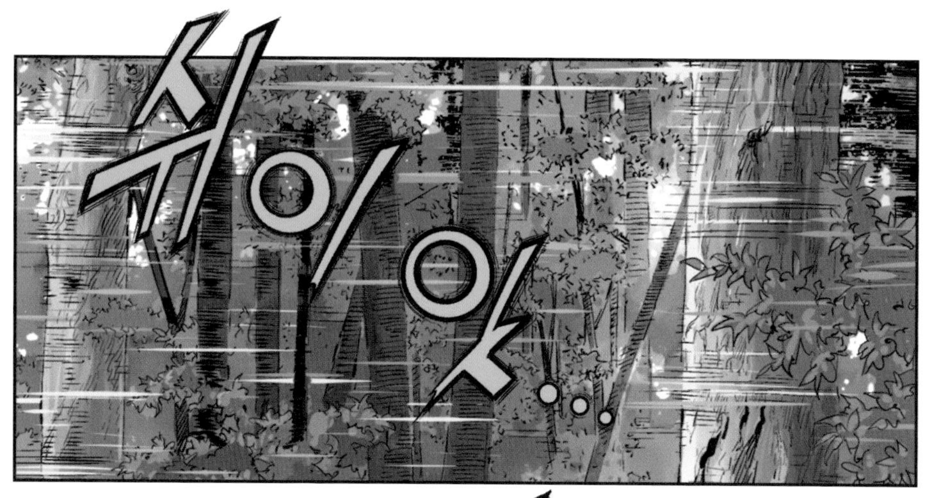
쉬이잉…

촤앙…

파사…

……….

분명 여기쯤
이었을 텐데….
내가 잘못
본 건가.

…아니,
그럴 리가.

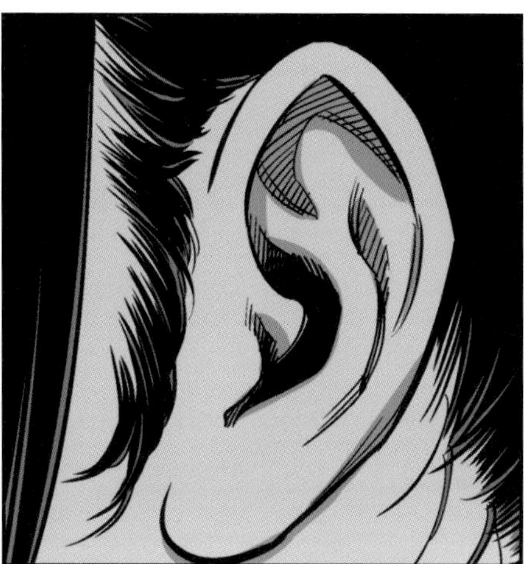

끼리리리
사각 사각
짹짹

뾰르르 뽕뽕
끼깃
끼익
쏴아아
휘이이
카앙
크아악

크으윽!
카각..
웬 놈이냐!
피육..
막아라!
베어버렷!
촤악
우리가
누군 줄 알고
감히!
카카캉

팍...

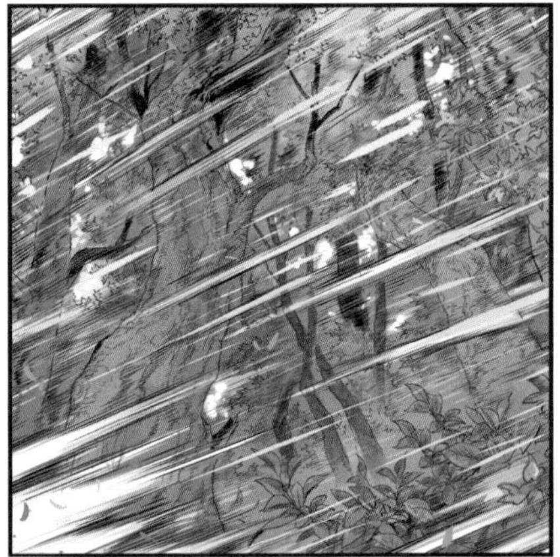

!

?!

누구냐,
너는.

방금 죽인
형안파 놈들의
동료인가?

아니면,

내 가문의 일과
관련 있는 자인가?

이…,

이건… 무슨….

정체를 밝히지 않으면
베겠다.

……….

이런, 이런…….

난 또
누구신가
했더니….

!

오랜만이군요,
도련님.
꾸..

용케도 이 늙은이를
찾아내셨소이다.
헐 헐헐

할아범이
아는 사람인가?
예….
오래된 일이긴
합니다만….

자넨 아마도 그자가 길러낸
수많은 장기말 중 하나일 걸세.
큭
큭
큭
큭

큭.

큭큭큭

그…렇군.

양정학 조장의 말이
맞았어.
…….

거기 있는 그놈 또한
억울하게 괴멸당한 가문의
후계자일 테지….
이따위 짓을
하다니…!
꾸득..

흡..

저자 또한
그들 중
한 명입니다.

아버님의 등에
칼을 찌른….

캇…

키웅..

쿠·쿠·쿠쿠

꼭두각시는 치우고
앞으로 나서라.

내 손에 죽으면 안 될
변명거리라도 있다면,
그 입으로
직접 말할 기회
정도는 주지.

무슨
농담을….
끌…
꼭두각시는
꼭두각시끼리
어울려야 하는 법.
스으…

끼이이…
?!

큭..

카아앙..

너와 내가
싸워야 할 이유는 없다!
물러서라!

후웅..

카카카캉..

카..

츄앙

파앙..

네놈 역시
선광비검이냐.
처...

촤아악

윽?!
콰콱

……!
으윽..

…….

날이 상한 칼은 갈아 쓸 수 있지만 부러진 칼은 버리는 것이 옳다.
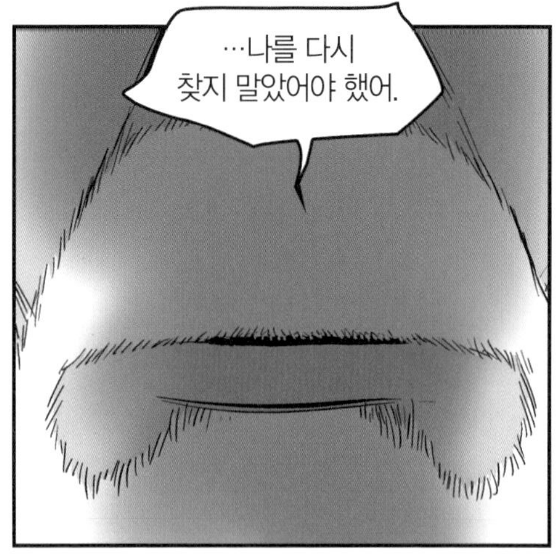
…나를 다시 찾지 말았어야 했어.

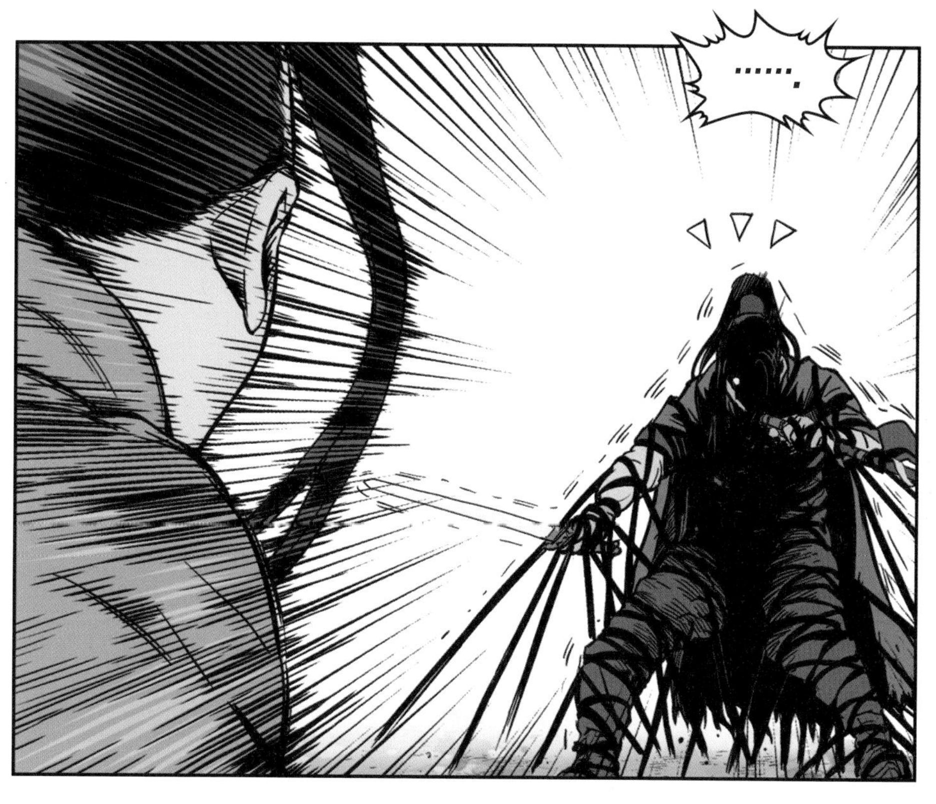
……..

빠드득

100화

……
환술에서 빠져나오는 방법?

가장 좋은 건
애초에 환술에
걸리지 않는 거지.

그러자면 우선
환술을 쓰는 자의
눈을 마주 보지
않는 것이 좋아.
그리고
평상심을
유지해야 돼.
환술사는
여러 가지 방법을 동원해
자네를 흔들어 댈 걸세.

거기에 말려들어
감정의 동요를
일으키거나 하면
그것으로 끝!
흥분하는 순간
환술사의 먹이가
되는 거지.
…….

아아…,
빠져나오는 방법에
대해 물었지, 참.
흐음…,
방법이 없진 않지만
이걸 어디서부터
설명해야 할지….

일단 가장 쉽고
효과가 빠른 수단은
통증일세.
통증….
환술에 걸린
상태에서라면
자신이 보고 느끼는
모든 것은 이미
허구라 생각해야 돼.
통증도 역시
마찬가지.

하나…,
머리로만 느끼는
허구적 통증과
몸이 먼저 반응하는
실제의 통증은
미세한 차이가 있어.
그 차이를
인지하는 것이
환술을 깨는
열쇠가 되지.
단순히
인지하는 것으로 끝날지
그 순간을 기회로 환술에서
완전히 빠져나올지는

본인의 의지가
얼마나 강한가에
달려 있네.
통증이라면…,
자해 같은 걸
하라는 건가?

자해라…

그것도 하나의
방법이 되겠지만…

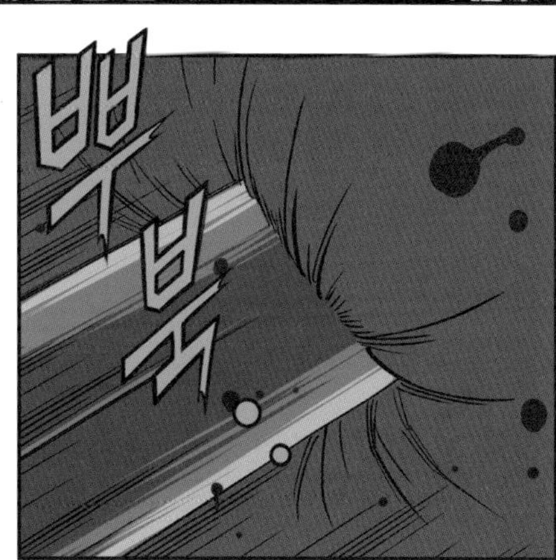
뿌북

욱신!
큭!

!

파앗

?!

…….

쯧쯧쯧….

겨우 혼자 날갯짓
할 수 있을 만큼
키워놨더니….

…….
나를 향한 그 분노를
이해 못하는 바는
아니지만.

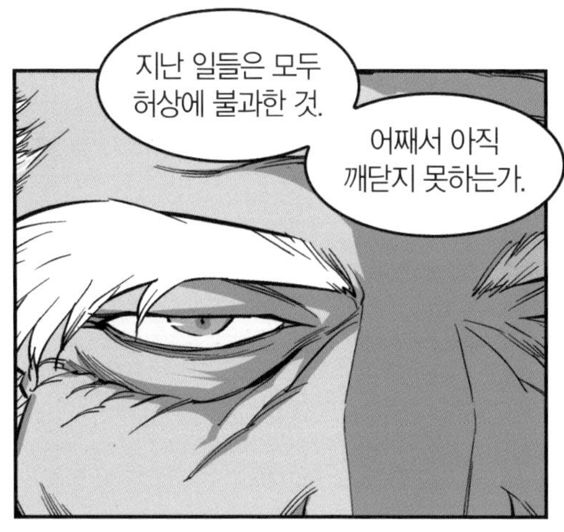
지난 일들은 모두
허상에 불과한 것.
어째서 아직
깨닫지 못하는가.

꾸득

스겅…

!

…….
흡…

의도했던 일은
아니나,
기왕 자유로운
몸이 됐으니
훨훨 날아가길
바랐건만….

후우욱..

쿨럭..

크윽...

쿨럭
쿨럭
쿨럭

크으….

…….

신선폐
(神仙廢).

죽은 그 아이의
칼에 발라져 있던
독이다.

지금이라도
운기조식에 집중한다면
모를까…,
그 이상
무리하게 공력을
끌어올리게 되면
목숨을 잃게 된다.

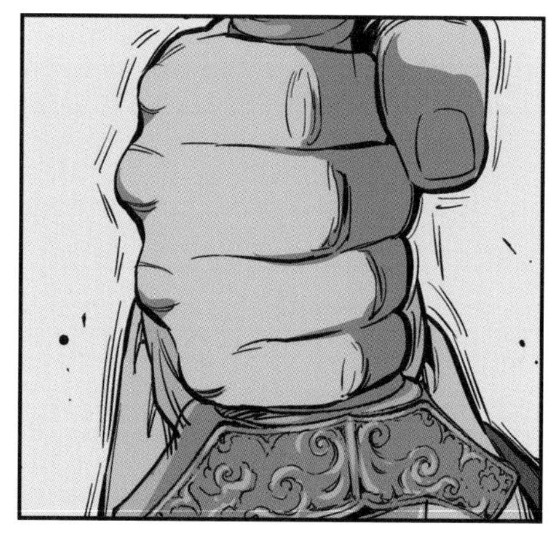

…죽는다!

지이이..

저 초식은…!

!
콰아..

선광천검
(仙光千劍)?!

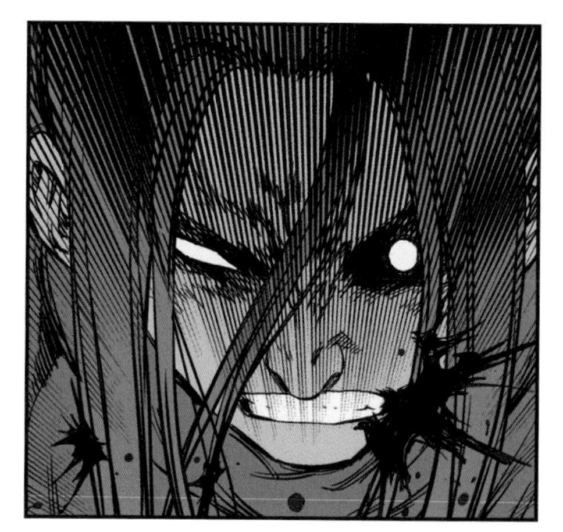

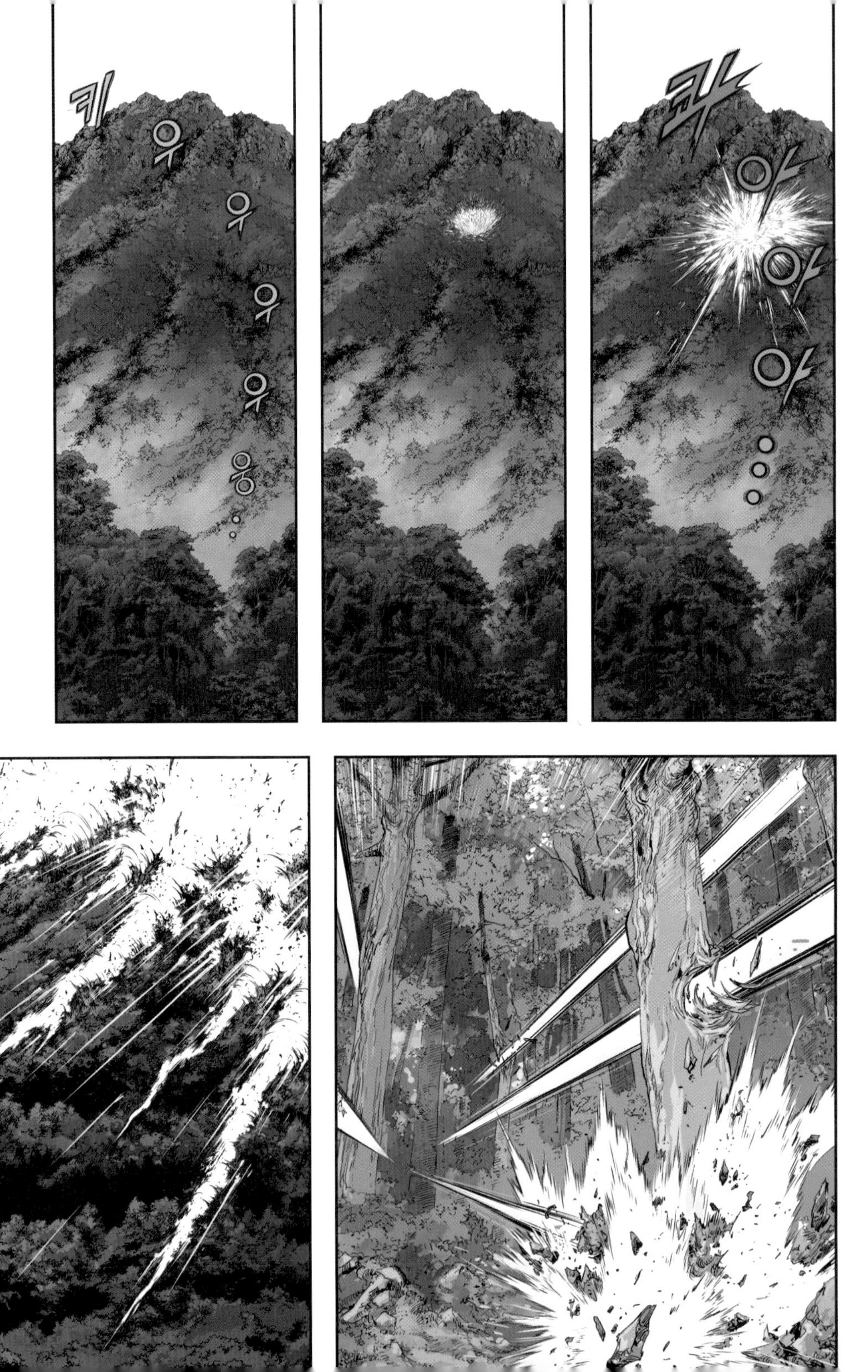

키우우우웅
콰아아아

쿠
쿠
쿠
쿠
쿠

키우웅..

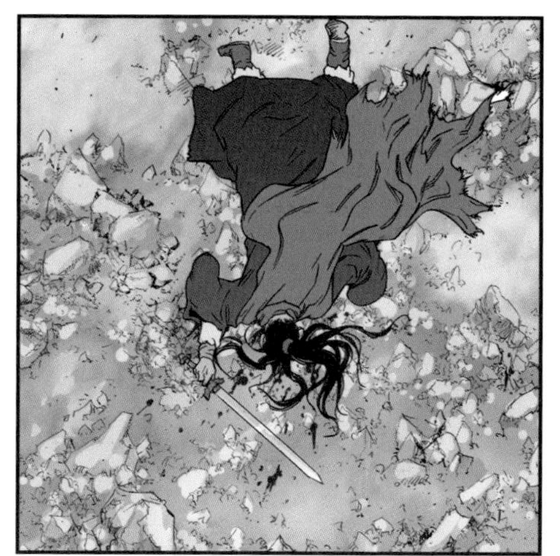

이론으로만 존재한다던 선광비검 최강의 초식을 이처럼 완벽하게 구현해내다니.

…….

안타깝구나,
검귀여….

백마곡의 개입만
아니었다면,
도리어 놈들을 척살할
최적의 무기가 될 수
있었을 것을….

101화

천곡산

…….
막사평은…,

정말
죽은 건가.

예….
제령왕
환사

무존(武尊)
흑룡왕
혈비

상대는
그 늙은이가 보냈다는
놈일 테지.
강룡이라
했던가.

예, 백마곡도
개입돼 있는 듯
합니다만,
교룡갑을 뚫고
목숨을 끊은 건
역시….

…….

강룡이란 아이와는
되도록 직접적인 접촉을 피하고
탐색만 하라는 대사형의 뜻을
수차례 전달했습니다만,

아마도 배신자인
둘째 사형 귀영을
패배시킨 이후,
점점 강해진
교룡갑에 대한 믿음이
이런 비극을 초래한 것이
아닐지….

멍청한….
당시의 귀영은
정상적인 상태가
아니란 걸
몰랐단 말인가.

당사자인 귀영이
굳이 밝히지 않았다면
셋째 사형 또한
몰랐을 것이라 생각합니다.

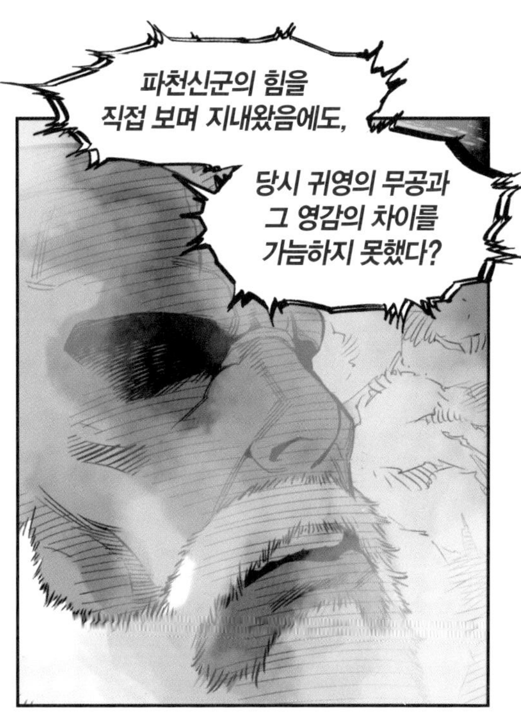
파천신군의 힘을
직접 보며 지내왔음에도,
당시 귀영의 무공과
그 영감의 차이를
가늠하지 못했다?

자신이
그 이상으로
성장했다 여겼을
수도 있고,
손에 넣은 신물의 힘이
그만큼 대단한 것이라
믿었을지도 모를 일이지요.
셋째 사형은
원래 그런 성격이지
않습니까.

…….
크음..

…어쨌든 그 애송이가 사패천이라는 늙은 괴물을 죽인 게 우연은 아니란 뜻이군.
놈의 파천신공을 영감의 경지에 근접한 수준으로 봐야 하는 건가.

그렇다 해도 대사형은 이미 그 경지를 넘어서신 분.
신중해서 나쁠 것은 없으나 그 아이에 대한 우려는 지나친 게 아닐지….

우려?

내가 우려하는 건 오히려 놈이 복수를 포기하고 사라져버리진 않을까 하는 점이야.
큭…
!

알다시피 아직 무림은 파천신군이라는 이름이 남긴 공포에서 완전히 벗어나지 못했다.
무존이라는 새로운 패왕의 이름을 알리기에 이보다 훌륭한 제물이 어디 있겠는가.

강룡이란 놈은 그 공포가 구체화된 상징적 존재.

정작 신경 쓰이는 건 백마곡 쪽이다.

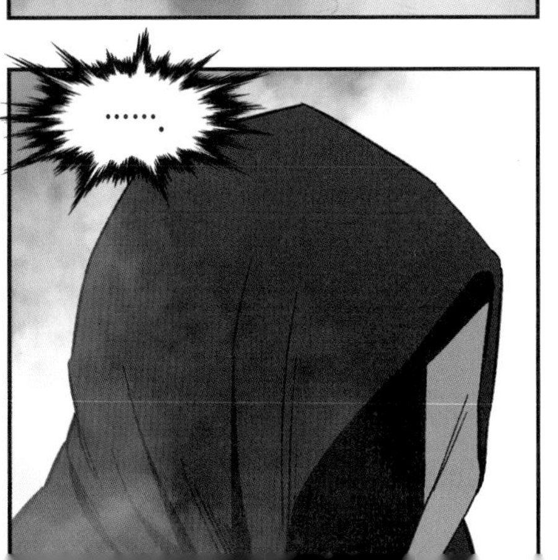
…….

정확히 말하면
놈들의 배후에 존재한다는
구무림의 망령들.

백마곡을 짓밟는 건
간단하지만,
화근을 남겨 두어선
곤란해.

패도의 완성을
위해서라도,
그런 허깨비들은
내 손으로 직접
치울 필요가 있어.

놈들을
끌어내라.

나를 위한
최고의 무대를
준비해.
그것이 너의
역할이 아니더냐.

…….
알겠습니다.

우선 무림맹을 움직여
백마곡을 도발해보지요.

이런 때를 위해서
오래전부터 그들에게
공을 들여왔으니까요.
!

무림맹?

……

이 시점에
무림맹의
밀사라니….

전면전에 대한
선전포고라도
하러 온 건가요?

차라리 그랬다면
이렇게까지 당혹스럽진
않았을 텐데….

뭔가 행동을
취할 거란 예상은
했지만,
설마 동맹을
요청해 올
줄이야.

허, 이것….
그럴 거라 짐작은
하고 있었지만….

무림맹이 스스로
파천문의 잔존 세력과
공조 관계에 있었다는 걸
실토한 셈이군요!
나도
놀랐어.

무림맹 입장에서는
놈들의 동향을 파악하기 위한
최소한의 연결고리였을 뿐이라고
주장하지만…,
씨도 안 먹힐
헛소리지.

무림맹의 속내는
뻔해.
어차피 벌어질 싸움이라면
양쪽을 싸우게 해서
살아남는 쪽을
처리할 생각일 테지.

그런 의도라면
사천왕에 대한 정보를
우리 쪽에 던져 주는 것만으로도
충분히 목적 달성을 할 수
있을 텐데.
왜 굳이
자신들이 앞장서서
놈들을 치겠다는 건지
모르겠군요.

글쎄….
뭔가 그럴싸한
그림이 필요해서?
파천문 잔존 세력을
소탕하는 싸움을
자신들이 시작했다는 그림이
갖고 싶은 거겠지.
지나칠 정도로
그런 것에 집착하는
것들이니까,
정파 무림맹이라는
집단은.

그럼…
이제 와서 저쪽을 버리고 우릴 선택하려는 건 역시…,

막사평을 죽인 강룡의 존재로 인해 이쪽의 승산을 더 높게 본다는 뜻일까요?

그렇게 단순한 이유라면 좋겠지만,
대부분의 경우 양자택일의 상황에서 어느 한 쪽을 선택한다는 건,
다른 쪽을 선택하는 것보다 얻을 것이 더 많기 때문이야.

그…렇군요.
흡

허나…,
이 또한
놈들과 무림맹이
공모한 계략일 수도
있습니다.

…….

당연히
그에 대한 대비도
해둬야겠지!

무림맹 총단

수고 많았네.
일단 물러가 있으라.
옛.

좋은
소식입니다.

백마곡이
우리 무림맹과의
동맹 제의를
받아들인다는
회답입니다.
무림맹주
장백진인 곽엽

오오!

잘 된
일입니다!
그렇습니다!
백마곡의 합류는
우리에게 큰 힘이
될 것입니다!

싸움이 시작되면 파천신군의 제자가 방관만 하고 있진 않을 듯한데.

당연히 그렇겠지요. 그에게 있어서 '사천왕'들은 사부의 원수니….

회왕문 문주 고광림

백마곡 또한 크게 다르진 않을 겁니다. 꽤 오래된 앙금이 있어요.

하북 검호각 장문인 방유복

허허. 이거 어쩌면 우리가 뒷전으로 밀릴 수도 있겠소이다!

무슨 말씀을…. 이건 우리의 싸움입니다. 파천문 잔존 세력을 중원에서 몰아낸다는 대의명분은 우리 무림맹 소속 문파들에 있어요.

동정 비봉창파 장문인 모융

벽력당 뇌가 당주 뇌자림

백마곡과 패왕의 제자는 어디까지나 동맹세력일 뿐이오.

그야 그렇겠지요.

팔황검문 문주 조봉기

헌데, 그 강룡이란 젊은이의 무공이 과거 패왕의 경지를 넘어선다는 소문도 있던데….

단천도가 당주 모응진

그건 과장일 듯하오만, 막사평이란 자가 10여 합을 버티지 못했다는 건 사실이라더군요.

호북 사마세가 가주 사마흠

허어—. 사천왕 중 한 명인 그 막사평이….

검라문 문주 엄여

중요한 것은…
이번 거사를 통해 그동안 어쩔 수 없이 유지돼왔던 파천문 잔당들과의 관계를 청산하고,

지금까지와는 다른 새로운 무림 연맹으로 거듭나야 한다는 점입니다.

길고 힘든 싸움이 될 수도 있습니다.
싸움이 끝나는 그날까지 초심을 잃지 않고 끝까지 함께해주길 바랍니다.

명심하겠습니다!

맹주님, 사준입니다.
!

들어오라.

제령왕이…?!

끼이..

서신보다는 직접 만나 뵙고 드릴 말씀이 있어 찾아왔습니다.
결례를 용서하십시오.

별말씀을….
미리 연락을 주셨으면
마중이라도
나갔을 텐데.

그런데 경내에
무림맹 소속 여러 문파의
수행단이 모여 있는 것을
보았습니다.

뭔가 큰일이
있는 듯한데….
아무래도 제가
날을 잘못 잡은 건
아닌지….

…….
찾아오신 용건이나
들어보도록 하지요!
후…

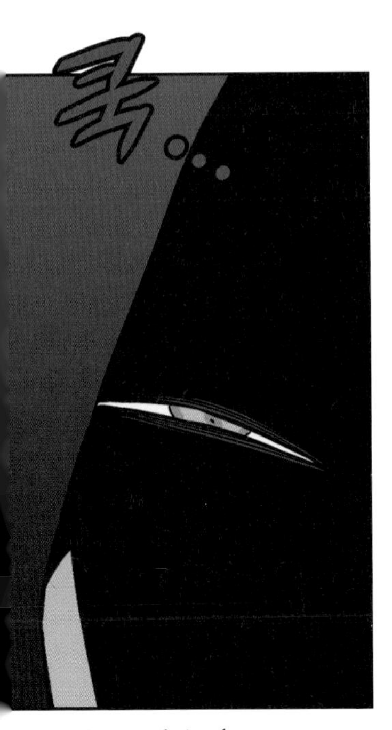

9권에 계속

고수

2022년 12월 25일 초판 1쇄 발행

저자 문정후 류기운

발행인 정동훈
편집인 여영아
편집책임 최유성
편집 양정희 김지용 김혜정 박수현
디자인 디자인플러스
본문편집 한상희

발행처 (주)학산문화사
등록 1995년 7월 1일
등록번호 제3-632호
주소 서울특별시 동작구 상도로 282 학산빌딩
편집부 02-828-8988, 8836
마케팅 02-828-8986

ISBN 979-11-6947-365-1
ISBN 979-11-6927-882-9(세트)

값 15,000원